# CHARLIER GIRAUD
# BLUEBERRY
## L'AIGLE SOLITAIRE

Couleurs : Claudine Blanc-Dumont

**DARGAUD**

PARIS • BARCELONE • BRUXELLES • LAUSANNE • LONDRES • MONTREAL • NEW YORK • STUTTGART www.dargaud.com

© **DARGAUD ÉDITEUR 1967**

Tous droits de traduction, de reproduction et d'adaptation
strictement réservés pour tous pays.

Dépôt légal : Mai 2003
ISBN 2-205-04331-5

Printed in France by PPO Graphic, 93500 Pantin - Mai 2003

CE MATIN-LÀ, DANS LES ENVIRONS DE FORT-QUITMAN, UN DES POSTES JALONNANT LA FRONTIÈRE ENTRE LE MÉXIQUE ET LE TEXAS, LE LONG DU RIO GRANDE.

OUVREZ L'ŒIL GARÇONS... DEPUIS QUE COCHISE EST SUR LE SENTIER DE LA GUERRE, LES TRIBUS DU LLANO ESTACADO, TENTENT DE LE REJOINDRE EN S'INFILTRANT PAR LE NORD DU MÉXIQUE...

YUP!.. TANT QUE LES MEXICAINS NE BOUCLERONT PAS LEURS FRONTIÈRES, LES APACHES SERONT INVINCIBLES...

DÈS QUE ÇA VA MAL POUR EUX CES COYOTES SE RÉFUGIENT AU MÉXIQUE OÙ NOUS NE POUVONS LES SUIVRE... ILS SE REMPLUMENT TRANQUILLEMENT, REPASSENT LA FRONTIÈRE EN UN TOUT AUTRE POINT, ET NOUS TOMBENT DESSUS PAR DERRIÈRE...

QU'ATTEND DONC LE PRÉSIDENT POUR PROTESTER À MEXICO ?..

BAH... LES MEXICAINS LAISSENT FAIRE, ILS N'ONT PAS ENCORE DIGÉRÉ ALAMO... ILS SONT TROP CONTENTS DE NOUS JOUER CE MAUVAIS TOUR...

OUAIS!.. EN ATTENDANT, L'ARIZONA ET LE NOUVEAU-MÉXIQUE SONT À FEU ET À SANG ET PRESQUE TOTALEMENT AUX MAINS DES APACHES... JE...

HÉ!.. REGARDEZ!

UNE PISTE!.. ELLE COUPE LA NÔTRE...

LE CHEVAL EST FERRÉ!.. C'EST LA PISTE D'UN BLANC... HMM... LA BÊTE ÉTAIT FOURBUE ET LOURDEMENT CHARGÉE... LES TRACES SONT VIEILLES DE DEUX HEURES ENVIRON...

ET ELLES VIENNENT DU RIO GRANDE!.. L'HOMME A DÛ TRAVERSER CLANDESTINEMENT LA FRONTIÈRE!.. ET NE DOIT PAS ÊTRE BIEN LOIN

LES TRACES SONT FACILES À SUIVRE... ON VA ESSAYER DE L'ÉPINGLER!.. EN AVANT...

GOSH...! CE CAVALIER SEM-BLAIT À BOUT...! IL N'A PAS DU ALLER LOIN COMME ÇA...!

DE LÀ-HAUT, ON DÉCOUVRE TOUTE LA RÉGION ENVIRON-NANTE...! NOUS AVONS UNE CHANCE D'APER-CEVOIR L'HOMME...!

OH...! LÀ...! REGARDEZ...!

LE CADAVRE D'UN CHEVAL, SÛREMENT LA MONTURE DU TYPE QUE NOUS TRAQUONS... LA PAUVRE BÊTE N'A PAS PU SE TRAÎNER PLUS LOIN, ELLE S'EST EFFONDRÉE ET SON CAVALIER A DU CONTI-NUER À PIED...!

EN AVANT...!

C'EST BIEN ÇA...! CE CHEVAL A ÉTÉ ACHEVÉ D'UNE BALLE DANS L'OREILLE...!

DAMN...! ICI, LE SOL EST ROCAILLEUX...! AUCUNE EMPREINTE POUR NOUS DIRE OÙ A BIEN PU FILER NOTRE HOMME...

HMMM...! BIEN QUE LE TERRAIN SOIT DÉGAGÉ, PAS LA MOINDRE SILHOUETTE EN VUE... POUR MOI, LE TYPE NE PEUT DONC SE TROUVER QUE DANS CE PETIT BOIS, LÀ-BAS... IL A DU S'Y ABRITER...!

C'EST AUSSI MON AVIS...! NEIL, PRENEZ LA MOITIÉ DES HOMMES ET CONTOURNEZ CE BOIS... IL FAUT PRENDRE L'HOMME À REVERS ET LUI COUPER LA RETRAITE... MOI JE RATIS-SERAI DE FACE... ET... PAS DE BRUIT...!

RAPIDEMENT, LA MANŒUVRE EST EXÉCUTÉE

SILENCIEUSEMENT, LES CAVALIERS ONT ATTEINT L'ORÉE DES TAILLIS

PIED À TERRE...! UN HOMME POUR GARDER LES CHEVAUX... LES AUTRES EN AVANT AVEC MOI...! ET REDOUBLEZ DE PRUDENCE...!

ET, QUEL-QUES INSTANTS PLUS TARD...

HÉ...! ARCHIE...! LÀ, DEVANT... EST-CE QUE TU VOIS CE QUE JE VOIS ?...

HEU... D...DEUX TYPES...! ILS... ILS BOUGENT PAS... ON DIRAIT QU'ILS SONT MORTS...!

ATTENTION !... C'EST PEUT-ÊTRE UN PIÈGE !...

J'APPELLE LE SERGENT !...

À PAS DE LOUP, LES SOLDATS CONVERGENT VERS LES DEUX CORPS INANIMÉS. SOUDAIN...

?!!? HÉ !... MAIS CE NE SONT PAS DES CADAVRES !... ILS DORMENT À POINGS FERMÉS !...

REGARDEZ CHEF !... L'UN D'EUX EST UN GOSSE !... ET L'AUTRE PORTE UN UNIFORME DE CAVALERIE !... DU MOINS CE QU'IL EN RESTE !...

HÉ !... DEBOUT, GARÇON !...

HEIN ?... QUE ?...

HEEE!

HEÏ !... DES SOLDATS !...

NE... NE TIREZ PAS !...

3A

OUF !... J'AI CRU UN INSTANT QUE VOUS ALLIEZ TIRER !... DITES-DONC... VOUS ÊTES SACREMENT RAPIDE, VOUS !...

NAVRÉ SERGENT... JE DORMAIS ENCORE À MOITIÉ !... CINQ JOURS QUE J'AI PRATIQUEMENT PAS FERMÉ L'ŒIL !...

ET QUI ÊTES-VOUS ?... D'OÙ SORTEZ-VOUS ?

LIEUTENANT BLUEBERRY, DU 7ᵐᵉ DE CAVALERIE !... GARNISON DE FORT NAVAJO, DANS L'ARIZONA !... D'OÙ JE SORS ?... TOUT DROIT DU MEXIQUE !...

DU... DU... MEXIQUE ?...

OUAIS !... POUR RÉCUPÉRER LE GAMIN... IL S'APPELLE DICK STANTON ET C'EST UN PEU À CAUSE DE LUI QUE L'OUEST EST AUJOURD'HUI À FEU ET À SANG !...(1)

(1)VOIR LES ÉPISODES PRÉCÉDENTS

"VOICI TROIS MOIS... SES PARENTS ONT ÉTÉ MASSACRÉS DANS LEUR RANCH, PAR DES MESCALE-ROS VENUS DU MEXIQUE !... CES COYOTES ONT ENLEVÉ LE GOSSE PUIS SE SONT MIS À L'ABRI DERRIÈRE LA FRONTIÈRE !...

ILS SE DÉBROUILLÈRENT POUR QUE LES APACHES SOIENT ACCUSÉS DU CRIME À LEUR PLACE... ET LEUR RUSE, HÉLAS, N'A QUE TROP BIEN RÉUSSI. LA GUERRE A ÉCLATÉ CONTRE LES APACHES ET LES NAVAJOS...

QUANT À MOI, ENVOYÉ EN MISSION À TUCSON, JE TROUVAI FORT-NAVAJO ÉVACUÉ. À MON RETOUR, AYANT APPRIS LA VÉRITÉ SUR L'ENLÈVEMENT DU GOSSE, JE DÉCIDAI DE LE RETROUVER ET DE LE DÉLIVRER !...

3B

5

JE SUIS PASSÉ CLANDESTINEMENT AU MEXIQUE... ET J'AI FINI PAR DÉCOUVRIR LES MESCALEROS... J'AI PU LEUR ARRACHER LE GOSSE... VOICI CINQ JOURS QUE NOUS FUYONS, SANS PRESQUE PRENDRE DE REPOS...

CETTE NUIT, NOUS AVONS FRANCHI LE RIO GRANDE ET ATTEINT LE TEXAS... IL ÉTAIT TEMPS... MON CHEVAL, ÉPUISÉ À MORT, S'ÉTAIT ABATTU... DICK ET MOI AVONS EU JUSTE LA FORCE DE NOUS TRAÎNER JUSQU'ICI...

NOUS NOUS SOMMES ÉCROULÉS, ENDORMIS... SI VOUS N'ÉTIEZ PAS ARRIVÉS, J'ÉTAIS DANS DE BEAUX DRAPS... AVEC LE GOSSE ÉPUISÉ SUR LES BRAS...

SACRÉE AVENTURE !...

QUE... QUE SE PASSE-T-IL ?

MON PETIT GARS, TU N'AS PLUS À T'EN FAIRE !... NOUS SOMMES SAUVÉS...

HA !... VOILÀ NELL ET LE GUIDE QUI REVIENNENT, VOUS ALLEZ POUVOIR VOUS RESTAURER... PUIS NOUS VOUS RAMÈNERONS À FORT QUITMAN, OÙ VOUS FEREZ VOTRE RAPPORT AU COLONEL BIRDLING, SIR...

ET BIENTÔT...

AU FAIT... OÙ EN EST LA GUERRE, SERGENT ?

LES NOUVELLES SONT MAUVAISES SIR... LES VILLES DE TUCSON, TUBAC, FLORENCE ET SAN XAVIER ONT ÉTÉ PILLÉES PAR LES APACHES... ET COCHISE A ÉCRASÉ TOUTES NOS COLONNES DE SECOURS...

DE NOMBREUX FORTS ONT ÉTÉ ÉVACUÉS ET ON EST SANS NOUVELLES DE PLUSIEURS POSTES... TOUTES LES PISTES DE L'ARIZONA SONT COUPÉES... DES CENTAINES DE CIVILS ONT ÉTÉ MASSACRÉS

QUEL GÂCHIS !... ET LE PIRE, C'EST QUE NOUS SOMMES DANS NOTRE TORT ! NOUS AVONS INJUSTEMENT ACCUSÉ ET ATTAQUÉ LES APACHES, SANS PRENDRE LE TEMPS DE CHERCHER LA VÉRITÉ...

HEU...

LE MIEUX EST QUE VOUS VOYIEZ TOUT DE SUITE LE COLONEL, SIR... JE M'OCCUPERAI DE VOTRE PROTÉGÉ !... JE VAIS LE CONFIER À LA FEMME DU COLONEL...

MERCI, SERGENT !...

QUELQUES HEURES PLUS TARD...

NOUS SOMMES ARRIVÉS !... VOICI FORT QUITMAN !...

À PRÉSENT SIR, VOUS COMPRENEZ POURQUOI JE DOIS VOIR AU PLUS TÔT LE GÉNÉRAL QUI COMMANDE EN CHEF LES OPÉRATIONS CONTRE LES APACHES... IL FAUT QU'IL SACHE LA VÉRITÉ SUR L'AFFAIRE DU RANCH STANTON ET...

PEU APRÈS, DANS LE BUREAU DU COLONEL BIRDLING...

HMM... J'AI BIEN PEUR QUE VOUS SOYEZ TROP OPTIMISTE, BLUEBERRY... LES CHOSES SONT ALLÉES TROP LOIN, JE DOUTE QU'IL PUISSE ENCORE EXISTER UNE SEULE CHANCE D'ARRÊTER LA TUERIE !...

SI INFIME SOIT-ELLE, IL FAUT LA COURIR SIR !...

HMM... BIEN DES GENS SONT INTÉRESSÉS PAR CETTE GUERRE... LES INDIENS EUX-MÊME SONT ÉNIVRÉS PAR LEURS PREMIERS SUCCÈS... ILS NE NÉGOCIERONT PAS

JE SUIS VOLONTAIRE POUR ESSAYER !...

TÊTE DE MULE, HEIN ?!... BON, À VOTRE AISE !... LE GÉNÉRAL CROOK, QUI COMMANDE À L'OUEST AVEC PLEINS POUVOIRS, EST À CAMP-BOWIE !...

IL Y RASSEMBLE UNE ARMÉE !... ET VOUS AVEZ UNE SACRÉE VEINE, JUSTEMENT, J'AI À FOURNIR UNE ESCORTE À UN CONVOI DE MUNITIONS EN PROVENANCE DE DALLAS ET À DESTINATION DE CAMP-BOWIE...

OR, JE MANQUE D'OFFICIERS... JE VOUS PROPOSE DONC DE PRENDRE LE COMMANDEMENT DE CETTE ESCORTE, VOUS AUREZ LA CHARGE DU CONVOI À PARTIR DE PECOS !...

MERCI SIR !...

NE ME REMERCIEZ PAS ! C'EST UN CADEAU EMPOISONNÉ !... IL Y A LOIN DE PECOS À CAMP-BOWIE, J'AI PEU D'HOMMES À VOUS DONNER... ET LA RÉGION À TRAVERSER EST RIEN MOINS QUE SÛRE !...

VOUS PARTIREZ POUR PECOS DANS DEUX JOURS, SANS DOUTE CONNAISSEZ-VOUS MAL LA RÉGION, VOUS AUREZ UN SCOUT APACHE COMME GUIDE !... MAINTENANT, ALLEZ VOUS REPOSER, MON GARÇON !...

MERCI ENCORE, SIR...

48 HEURES ONT PASSÉ

ALORS BLUEBERRY ? COMPLÈTEMENT RETAPÉ ?! WELL... VOICI LE SERGENT-CHEF MATT QUI VOUS SECONDERA... ET VOICI VOTRE GUIDE... QUANAH-N'A-QU'UN-ŒIL !...

NAVRÉ DE NE POUVOIR VOUS DONNER PLUS D'UNE TRENTAINE D'HOMMES, BLUEBERRY, MAIS MES EFFECTIFS SONT DÉJÀ SQUELETTIQUES... ADIEU, MON GARÇON ET... BONNE CHANCE, VOUS EN AUREZ RUDEMENT BESOIN !...

'K YOU, SIR !... JE VOUS CONFIE DICK STANTON... LE VOYAGE EST TROP RISQUÉ POUR QUE JE PUISSE L'EMMENER AVEC MOI... MATT !... FAITES SONNER LE BOUTE-SELLE !...

YES SIR !...

7

ET QUELQUES INSTANTS PLUS TARD...

AU REVOIR DICK... À BIENTÔT...

CHEVAUCHANT VERS L'EST, LE DÉTACHEMENT FRANCHIT LES 240 KILOMÈTRES SÉPARANT FORT-QUITMAN DE PÉCOS EN QUATRE JOURS ET SANS LE MOINDRE INCIDENT...

LE MATIN DU CINQUIÈME JOUR...

VOILÀ PÉCOS, SIR... AU RETOUR NOUS IRONS MOINS VITE, À CAUSE DES CHARIOTS ET NOUS PASSERONS PLUS AU NORD, À TRAVERS LES MONTS SAN ANDRES ET GUADALUPE... LE TRAJET RISQUE D'ÊTRE BEAUCOUP MOINS CALME...

ÇA NOUS CHANGERA... DITES-MOI, MATT... HEU... QUE PENSEZ-VOUS DE CE QUANAH ?..

DIFFICILE À DIRE, SIR... IL N'EST PAS CHEZ NOUS DEPUIS BIEN LONGTEMPS ET J'AI RAREMENT VU UN ANIMAL AUSSI TACITURNE... C'EST UN VRAI TRAVAIL POUR LUI ARRACHER UN MOT...

ATTENTION MATT... JE VOUS RAPPELLE QU'À PART VOUS, MOI ET LE CHEF DU CONVOI, NUL NE DOIT SAVOIR QUE CE SONT DES MUNITIONS QUE NOUS ESCORTERONS... INUTILE D'ÉVEILLER LES CONVOITISES...

UNE HEURE PLUS TARD, DANS PÉCOS, BLUEBERRY PREND CONTACT AVEC LE CHEF DU CONVOI, ARRIVÉ LA VEILLE...

RAVI DE VOUS CONNAÎTRE, LIEUTENANT BLUEBERRY... JE SUIS L'INTENDANT O'REILLY... HIC... HUM... HEU... VENEZ DONC BOIRE UN PETIT QUEL-QUE HIC... CHOSE... COMME QUI DIRAIT POUR FÊTER NOTRE RENCONTRE...

EH LÀ !.. HAHA... PLUS TARD, SIR... VOS CHARIOTS SONT-ILS PRÊTS ?.. JE SOUHAITERAIS PARTIR DEMAIN DÈS L'AUBE...

LE SOIR VENU...

DITES-DONC, O'REILLY... J'AI INSPECTÉ VOS CHARIOTS... UNE SEULE SENTINELLE POUR LES GARDER, VOUS NE TROUVEZ PAS QUE C'EST VRAIMENT TRÈS PEU ?..

HAHAHA... SACRÉ FARCEUR VA...

SIMPLE RUSE... N'OUBLIEZ PAS QU'MES FOURGONS SONT CENSÉS CONTENIR RIEN DE BIEN PRÉCIEUX... DES EFFETS MILITAIRES ET DES MÉDICAMENTS... TROP DE SENTINELLES AUTOUR D'EUX ÉVEILLERAIENT DES SOUPÇONS !..

HEU !..

D'AILLEURS, RIEN À CRAINDRE À PÉCOS... LA RÉGION EST CALME, ET...

PAN

ALA...AAAAAH.

DAMN !... ÇA VIENT DES CHARIOTS !...

UN... UN COUP DE FEU... QUE... QU'EST CE QUE...

ALERTE ! AUX ARMES !

HELL... LA SENTINELLE !... C'EST ELLE QUI A TIRÉ !...

TROP TARD !... LE MALHEUREUX EST MORT !... IL A REÇU UN COUP DE COUTEAU EN PLEIN CŒUR !... MAIS L'ASSASSIN A RÉCUPÉRÉ ET EMPORTÉ SON ARME !...

HÉ ! PAR ICI !...

VOUS PAS BLESSÉ LIEUTENANT ?

NON QUANAH !... VITE ESSAIE DE RETROUVER LA PISTE DE L'HOMME QUI A TUÉ CE SOLDAT !... IL VIENT DE S'ENFUIR !...

PAR TOUS LES DIABLES DE L'ENFER À'... À QUOI RIME CE MEURTRE ?...

LE PAUVRE DIABLE A TIRÉ POUR DONNER L'ALARME !... UN COUP D'ŒIL AUX FOURGONS NOUS DIRA POURQUOI !...

REGARDEZ !... LA BÂCHE DE CE CHARIOT A ÉTÉ FENDUE D'UN COUP DE POIGNARD !... L'ASSASSIN S'ÉTAIT GLISSÉ À L'INTÉRIEUR MAIS IL A DÛ SE FAIRE SURPRENDRE PAR LA SENTINELLE AU MOMENT OÙ IL RESSORTAIT ET N'A PAS HÉSITÉ À FRAPPER !...

UN... UN VOLEUR PROBABLEMENT !... BLUEBERRY... MONTONS VÉRIFIER LE CHARGEMENT !... HO !... VOUS AUTRES RESTEZ LÀ !...

DAMNED !... ON A FORCÉ MES CAISSES ON VOULAIT VOLER MES FUSILS !

OUAIS ?...

HEUREUSEMENT LEUR CONTENU SEMBLE INTACT !... LE VOLEUR N'A PAS EU LE TEMPS D'EMPORTER UNE SEULE ARME !...

EST-CE VRAIMENT ÇA QUI L'INTÉRESSAIT ? PAS SÛR !...

HEIN ?... QUE VOULEZ-VOUS DIRE ?...

AU MIEUX... L'HOMME POUVAIT ESPÉRER EMPORTER DEUX OU TROIS FUSILS... HMM... ÇA PARAÎT MINCE COMME MOBILE !...

JE CROIS PLUTÔT QUE NOTRE VISITEUR NOCTURNE VOULAIT SAVOIR LA VÉRITÉ SUR NOTRE CHARGEMENT !... C'EST UN RENSEIGNEMENT INESTIMABLE POUR CERTAINS... LES APACHES !... PAR EXEMPLE !...

HEIN ?!...

VOYONS.../. C'EST RIDICULE.../. NUL NE POUVAIT ÊTRE PRÉVENU DU PASSAGE DE NOTRE CONVOI À PÉCOS, ET.../.

ON VERRA BIEN... VOILÀ QUANAH ET MATT QUI REVIENNENT.../.

HELLO MATT.../. QUOI DE NOUVEAU?

RIEN, SIR.../. AVEC QUANAH ET QUELQUES HOMMES, J'AI FOUILLÉ LES ABORDS DU CAMP ET TOUT PÉCOS EN VAIN.../. AUCUNE TRACE DU COYOTE QUI A FAIT LE COUP.../. J'AI PENSÉ BIEN FAIRE EN VOUS RAMENANT LE SHÉRIFF.../.

SALUT, LIEUTENANT.../. NAVRÉ DE CE QUI ARRIVE... MAIS IL Y A PEU DE CHANCES POUR QUE LE COUPABLE SOIT UN PEAU-ROUGE.../. TOUS LES INDIENS, QUELLE QUE SOIT LEUR RACE, ONT QUITTÉ LA RÉGION DÈS LE DÉBUT DE LA GUERRE, PAR PEUR D'ÊTRE LYNCHÉS.../.

...EN TOUT CAS, IL N'Y EN A PLUS UN SEUL À PÉCOS.../.

MERCI SHÉRIFF. POUVEZ-VOUS VOUS ASSURER QUE NUL N'A TENTÉ OU NE TENTERA DE QUITTER LA VILLE CETTE NUIT?... JE COMPTE SUR VOUS.../.

MATT.../. VOUS ALLEZ PRENDRE QUELQUES HOMMES ET LEUR FAIRE CREUSER UNE TOMBE... LE DÉPART SERA RETARDÉ D'UNE DEMI-HEURE POUR QUE NOUS PUISSIONS RENDRE LES HONNEURS À NOTRE CAMARADE.../.

YES SIR.../.

ET, LE LENDEMAIN, À L'AUBE.../.

BAM!.. BAM!

PEU APRÈS, LE CONVOI QUITTE PÉCOS ET PREND LA ROUTE DE L'OUEST...

LE SHÉRIFF A VÉRIFIÉ... PERSONNE N'A QUITTÉ PÉCOS DEPUIS LE MEURTRE... POURTANT, CETTE HISTOIRE SENT MAUVAIS, O'REILLY.../. ET TRENTE CAVALIERS, C'EST PEU EN CAS DE COUP DUR...

AÏE.../. LAISSEZ DONC TOMBER CETTE HISTOIRE D'ESPION, CHAP.../. VOUS VOUS MONTEZ LA TÊTE...

POSSIBLE.../. N'EMPÊCHE QUE NOUS ALLONS MODIFIER SENSIBLEMENT NOTRE ROUTE... HO!!! QUANAH.../. NOUS PRENDRONS LA VIEILLE PISTE DU NORD.../.

HEIN? VOUS ÊTES CINGLÉ.../.

!??

PLUS PERSONNE NE L'UTILISE DEPUIS DES ANNÉES.../.

JUSTEMENT, ÇA NOUS DONNE UNE CHANCE D'ÉCHAPPER AUX APACHES.../. SI ON LES A AVERTIS DE NOTRE PASSAGE, ILS NOUS ATTENDRONT SÛREMENT SUR L'ITINÉRAIRE HABITUEL...

MAIS, CETTE VIEILLE PISTE EST BEAUCOUP PLUS DURE ET ELLE ALLONGE LA ROUTE...

MIEUX VAUT ARRIVER TARD QUE PAS DU TOUT, O'REILLY.../. ALLONS-Y!!!

DANS L'OBSCURITÉ, CES LAN-
TERNES DE CHARIOT ALLUMÉES
ET ACCROCHÉES AUX SELLES
COMPLÉTERONT L'ILLUSION...

GOSH !... ON JURERAIT
QUE CES ORNIÈRES ONT
ÉTÉ LAISSÉES PAR DES
WAGONS LOURDEMENT
CHARGÉS ...

CAVALIERS,
EN
AVANT !...

QUANAH
AVOIR TROUVÉ
LE GUÉ !...

PARFAIT...
EN ROUTE,
O'REILLY !... HUM ...
ET POUR L'AMOUR
DU CIEL ...

?

... PAS
LE MOINDRE
FEU !... VOUS
VOULEZ DONC
NOUS FAIRE
REPÉRER ?...

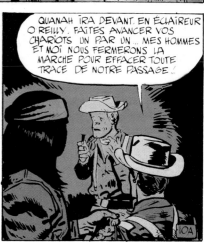

QUANAH IRA DEVANT, EN ÉCLAIREUR,
O'REILLY, FAITES AVANCER VOS
CHARIOTS UN PAR UN ... MES HOMMES
ET MOI NOUS FERMERONS LA
MARCHE POUR EFFACER TOUTE
TRACE DE NOTRE PASSAGE !...

QUELQUES INSTANTS
PLUS TARD MALGRÉ
LA PROFONDE OBS-
CURITÉ QUI REND
PLUS PÉRILLEUX LE
FRANCHISSEMENT
DU GUÉ , LES CHARIOTS
LOURDEMENT CHARGÉS
SE LANCENT À TRA-
VERS LE COURANT...

ET QUELQUES
MINUTES
PLUS TARD...

ÇA Y
EST SIR !... LE
DERNIER FOURGON
VIENT D'ATTEINDRE
L'AUTRE RIVE...

CAVALIERS !... PIED À
TERRE !... COUPEZ DES
BRANCHES ET FORMEZ-
VOUS EN LIGNE ...NOUS
ALLONS BALAYER LE
SOL DERRIÈRE NOUS AU
FUR ET À MESURE QUE
NOUS AVANCERONS ...

OUF !.. NOUS AVONS EFFACÉ JUSQU'À LA MOINDRE TRACE DE SABOT !.. JE DÉFIE LES MEILLEURS PISTEURS APACHES DE DÉCOUVRIR QUE NOUS AVONS FRANCHI LA RIVIÈRE ...

OUAIS !.. MAIS DEMAIN, NOUS SERONS TOUS PERCLUS DE RHUMATISMES.. SANS FEU POUR SE SÉCHER, LES HOMMES GRELOTTENT, LA NUIT EST GLACIALE !.. ET...

TARD DANS LA NUIT, GUIDÉS PAR QUANAH, LES CAVALIERS DE BLUEBERRY REJOIGNENT L'ÉTROITE VALLÉE OÙ LES CHARIOTS, ARRIVÉS UNE HEURE PLUS TÔT, ONT FORMÉ LE CERCLE ...

OFFREZ DONC À CHACUN UNE RASADE DE WHISKY DE VOTRE RÉSERVE PERSONNELLE, O'REILLY !.. ÇA LES RÉCHAUFFERA !..

PAR TOUS LES SAINTS D'IRLANDE !..

QUANAH !.. TU VAS DORMIR QUELQUES HEURES !.. UN PEU AVANT L'AUBE, TU PARTIRAS EN AVANT RECONNAÎTRE LA PISTE !..

MOI ALLER ...

BIENTÔT, DANS LE CAMP PLONGÉ DANS LE NOIR ABSOLU, LES HOMMES ÉCRASÉS DE FATIGUE SOMBRENT DANS UN SOMMEIL DE PLOMB...

MÊME LES SENTINELLES ONT PEINE À LUTTER CONTRE LA SOMNOLENCE...

CRAC

U.S. AR

CRAC

HEÉÉ !.. QU'EST-CE QUE ...

QUI VA LÀ ?...

BIZARRE, J'AURAIS JURÉ QUE QUELQU'UN RÔDAIT AUTOUR DU WAGON-INTENDANCE... J'AI DÛ RÊVER !..

L'AUBE EST VENUE

HEY !.. PAS DE TROMPETTE, IMBÉCILE !..

TU VEUX RAMEUTER TOUS LES PEAUX-ROUGES DU COIN ?.. CE DAMNÉ BINIOU S'ENTEND À DIX MILES !.. RÉVEILLE LES HOMMES EN LES SECOUANT.

HA !.HA !.. SACRÉ BLUEBERRY..

TOUJOURS VOTRE OBSESSION, HEIN ?.. VOUS NOUS OBLIGEZ À FUIR DEVANT DES FANTÔMES ET...

BLOOD'ND GUTS !!! QUEL EST LE DAMNÉ FILS DE RAT PUANT QUI A FAIT ÇA ?!!

QU'EST-CE QUI SE PASSE, CHUCK ?.

IL SE PASSE QU'IL Y A UN SACRÉ VOLEUR ICI, SIR !.. IL SE PASSE QUE TOUT UN PAN DE LARD FRAIS, À PEINE ENTAMÉ, A DISPARU DE LA CANTINE ...

DU... DU LARD?

AU MOINS DIX LIVRES...SIR... JE L'AVAIS ACCROCHÉ ICI HIER SOIR... ET JE VIENS TOUT JUSTE DE M'A-PERCEVOIR DE SA DISPARITION...

...BON SANG, CHUCK... ÊTES-VOUS SÛR DE NE PAS L'AVOIR FOURRÉ AILLEURS? JE VOIS MAL UN VO-LEUR AVALER OU CACHER UNE TELLE QUANTITÉ DE VIANDE...

HEU... IL A PEUT-ÊTRE ÉTÉ ENLEVÉ PAR UN ANIMAL...

RIDICULE...

UN COYOTE OU UN PUMA AURAIENT PEUT-ÊTRE PU EMPORTER UN PAREIL POIDS... MAIS ILS AURAIENT INÉVITABLEMENT ATTIRÉ L'ATTENTION...HMM... CHUCK! DITES AU SERGENT DE SEMAINE DE FAIRE UNE RAPIDE ENQUÊTE...

YES SIR!

MAIS, UNE DEMI-HEURE PLUS TARD...

PAS LA MOINDRE TRACE DE CE LARD, SIR. J'AI FOUILLÉ LES SACS, LES FONTES, LES CHARIOTS...EN VAIN...MAIS OLSEN A ENTENDU QUEL-QUE CHOSE CETTE NUIT...

J'ÉTAIS DE GARDE CETTE NUIT SIR... J'AI ENTENDU UN LÉGER CRAQUEMENT DU CÔTÉ DU WAGON-INTENDANCE, MAIS JE N'AI RIEN VU... ALORS, J'AI PENSÉ QUE C'ÉTAIT DU BOIS HUMIDE QUI SÉCHAIT.

CE POLTRON N'A PAS OSÉ DONNER L'ALERTE PAR CRAINTE DU RIDICU-LE... ET LE SOUVENIR DE SON CO-PAIN, TUÉ À PECOS DANS LES MÊMES CIRCONSTANCES, L'A RETE-NU D'ALLER VOIR DE PRÈS...

ÇA VA, OLSEN!...

[12A]

O.K. SERGENT! ON NE VA PAS S'AT-TARDER POUR UN MOR-CEAU DE LARD!... RAS-SEMBLEZ LES HOMMES POUR LE DÉPART.

VOILÀ QUANAH QUI RENTRE SIR!...

ALORS QUANAH... CETTE PISTE!?

TRÈS MAUVAIS... SI NOUS ATTAQUÉS... NOUS PERDUS!

C'EST PRÉ-CISÉMENT PARCE QUE LE CHOIX DE CETTE PISTE PARAÎT ABSURDE QUE LES APACHES NOUS CHERCHERONT PARTOUT SAUF LÀ.

TOUJOURS SANS LE MOINDRE APPEL DE CLAIRON, LES HOMMES SE SONT MIS EN SELLE, ET LE CONVOI A RE-PRIS SA ROUTE.

LA DISPARITION DE CE DAMNÉ MORCEAU DE LARD ME TARABUSTE. JE N'AIME PAS LES MYSTÈRES DE CE GENRE...

HÉ!... SERGENT JE VAIS JETER UN COUP D'ŒIL DE LÀ-HAUT!... PRENEZ LE COMMAN-DEMENT DE LA COLONNE!...

O.K. SIR!...

TIENS TIENS!... QUE SE PASSE-T-IL LÀ-BAS?

[12B]

14

15

ET MAINTENANT IL ME RESTE À RÉGLER SON COMPTE AU COYOTE QUI JALONNE NOTRE PISTE POUR GUIDER LA POURSUITE DE SES FRÈRES ROUGES. LE MÊME, À COUP SÛR, QUI A TUÉ LA SENTINELLE À PECOS, POUR POUVOIR S'ASSURER DU CONTENU DES CAISSES QUE NOUS TRANSPORTONS.

QUANAH !... ÇA NE PEUT ÊTRE QUE LUI, JE L'AVAIS CHARGÉ D'UNE RECONNAISSANCE... LUI SEUL A EU LA POSSIBILITÉ DE QUITTER LE CAMP AVANT L'AUBE EN CACHANT SUR LUI LE LARD VOLÉ...

BLUEBERRY ATTEINT LA VALLÉE OÙ LES CHARIOTS ONT BIVOUAQUÉ LA NUIT PRÉCÉDENTE...

O.K.!... POUR REJOINDRE LES AUTRES, JE N'AI QU'À SUIVRE CETTE PISTE !...

HMM... MIEUX VAUT N'AGIR QU'À COUP SÛR !... JE N'AI AUCUNE PREUVE CONTRE CE RAT ET INUTILE D'ESPÉRER LUI ARRACHER UN AVEU, OR C'EST NOTRE SEUL GUIDE SUR CETTE DAMNÉE PISTE QUE NUL D'ENTRE NOUS NE CONNAIT !...

... TANT QU'IL RESTERA PERSUADÉ QUE SES FRÈRES ONT TROUVÉ LE SIGNAL ET NOUS SUIVENT À LA TRACE, QUANAH NOUS CONDUIRA D'AUTANT PLUS FIDÈLEMENT QU'IL SAIT NOTRE ITINÉRAIRE PARTICULIÈREMENT PROPICE AUX EMBUSCADES...

14A

IL NE DEVIENDRA DANGEREUX QU'AU MOMENT OÙ L'ATTAQUE QU'IL ESPÈRE NE SE PRODUISANT PAS, IL SE DOUTERA QUE SA RUSE EST ÉVENTÉE... MIEUX VAUT ATTENDRE JUSQUE LÀ ET OUVRIR L'ŒIL !...

PLUS TARD...

BLUEBERRY !... ENFIN !... HIC !... OÙ DIABLE TRAÎNIEZ-VOUS ? JE COMMENÇAIS À ME LANGUIR DE VOUS !...

BAH !... LE WISKY EST UN EXCELLENT REMÈDE CONTRE LA MÉLANCOLIE !... HEY !... BON SANG !... OÙ EST QUANAH ?

EN TÊTE !... HÉ !... NERVEUX, HEIN !...

J'AI HÂTE D'ATTEINDRE EAGLE CREEK !... FAITES PRESSER LA MARCHE, ET QUE QUANAH NE QUITTE LA COLONNE SOUS AUCUN PRÉTEXTE !...

SAGE PRÉCAUTION, AU MÊME INSTANT. EN EFFET, UN FORT PARTI D'ÉCLAIREURS APACHES VIENT D'ATTEINDRE LE RIO QUE LE CONVOI A FRANCHI LA VEILLE, APRÈS S'ÊTRE SÉPARÉ DE LA SECTION DU SERGENT MATT

14B

QUE SATANTA RESTE ICI POUR GUIDER LE CHEF NATCHEZ QUI SUIT AVEC LE GROS DES GUERRIERS NOUS, NOUS CONTINUONS LA CHASSE...

HUGH !... JE NE VOIS NULLE PART LE SIGNAL QUE NOTRE FRÈRE QUANAH-N'A-QU'UN-ŒIL DEVAIT NOUS LAISSER SI LES TUNIQUES BLEUES FRANCHISSAIENT LA RIVIÈRE !...

LES SOLDATS N'ONT PAS TRAVERSÉ. IL N'Y A AUCUNE PISTE SUR L'AUTRE RIVE....

LES CHARIOTS ONT LONGÉ L'EAU, LEURS TRACES SONT ENCORE BIEN VISIBLES ! CHIEN-BRAVE PEUT SE FIER À QUANAH !...

ET BIENTÔT

LES TRACES SONT FACILES À SUIVRE !...

LÀ-BAS !... MONTS SACRAMENTO !... SÛREMENT, CHARIOTS PAS POUVOIR PASSER.... SI CHEF BLANC SAGE LAISSER QUANAH CHERCHER PASSAGE PLUS FACILE AU SUD...

PAS QUESTION QUANAH !... TU NOUS ES TROP PRÉCIEUX !... JE NE PEUX PAS COURIR LE RISQUE DE TE PERDRE !... TU RESTES AVEC NOUS.

CEPENDANT

VOUS AVEZ VEXÉ QUANAH, BLUEBERRY !... ÇA FAIT DIX FOIS QU'IL SE PROPOSE POUR NOUS AIDER... LAISSEZ LE DONC FAIRE, NOM DE NOM !... C'EST DE LA FOLIE QUE DE S'OBSTINER À SUIVRE CETTE PISTE, VOUS ALLEZ CREVER NOS BÊTES !...

ÇA VA COMME ÇA, O'REILLY !... BUVEZ ET FICHEZ-MOI LA PAIX !...

CE RASCAL DE QUANAH COMMENCE À S'ÉNERVER... IL S'ÉTONNE DE NE DÉCELER ENCORE AUCUN SIGNE DE LA POURSUITE DE SES FRÈRES ROUGES...

MILLE MILLIARDS DE...

MAIS, TANT QUE JE NE L'AUTORISE PAS À QUITTER LE CONVOI, IL N'A AUCUNE CHANCE DE POUVOIR LES ALERTER. ET NOUS SOMMES EN SÉCURITÉ...

LE SOIR VENU, À L'ISSUE D'UNE MARCHE FORCÉE HARASSANTE, LA COLONNE ATTEINT ENFIN EAGLE CREEK AU PIED DES MONTS SACRAMENTO...

??!! MATT N'EST PAS LÀ !...

17

NOUS SOMMES LES PREMIERS AU RENDEZ-VOUS !

BAH !.. LE SERGENT MATT ET SA SECTION NOUS REJOIN-DRONT DANS LA NUIT... C'EST NORMAL, SI PAR HASARD ILS ONT ÉTÉ ACCROCHÉS PAR LES APACHES, ILS AURONT EU DU MAL À LES SEMER !..

FAITES FORMER LE CERCLE ET ÉTABLIR LE CAMP, O'REILLY... INTERDIC-TION D'ALLUMER DES FEUX... DÉPART À QUATRE HEURES !..

HEIN ?! MAIS... ET MATT !?

LA SÉCURITÉ DU CONVOI AVANT TOUT... SI MATT ET SES HOMMES NE SONT PAS LÀ À L'AUBE JE LES ATTEN-DRAI AVEC UNE SECTION, ET PAR LA MÊME OCCASION JE COUVRIRAI LES ARRIÈRES DE LA COLONNE !..

OKAY !.. OKAY !..

OH ! QUANAH !.. TU DORMIRAS DEVANT MA TENTE !.. HEU... JE... J'AURAI PEUT-ÊTRE BESOIN DE TOI !..

AINSI, LA SENTINELLE NE LE PERDRA PAS DE L'OEIL UNE SECONDE CETTE NUIT...

UNE HEURE PLUS TARD, ENTRE LES CHARIOTS DISPOSÉS EN CERCLE, LE CAMP S'ENDORT, DANS LE NOIR ABSOLU...

INCAPABLE DE FERMER L'OEIL, BLUEBERRY GUETTE TOUTE LA NUIT, LE RETOUR DE MATT ET DE SA PATROUILLE...

TOUJOURS RIEN !.. C'EST INQUIÉTANT...

UNE HEURE AVANT L'AUBE, ET DANS LE PLUS GRAND SILENCE, LES HOMMES SONT DEBOUT COMME PRÉVU...

HELLO ! BLUE-BERRY !.. AUCUNE NOUVELLE !? QUELS SONT LES ORDRES ?

LES MÊMES QU'HIER ! VOUS PARTEZ EN AVANT AVEC LES CHARIOTS, MOI, JE RESTE ICI AVEC QUELQUES CAVALIERS POUR RECUEILLIR LA SECTION DE MATT OU CE QU'IL EN RES-TE, CAR IL NE FAIT MAINTENANT AU-CUN DOUTE QU'ILS ONT ÉTÉ ACCRO-CHÉS !.. HEU... QUANAH VOUS GUIDERA !..

MAINTENANT, O'REILLY, VOUS ALLEZ ÉCOUTER CECI, ET TÂCHER DE L'ANCRER DANS VOTRE SACRÉE CABOCHE D'IRLANDAIS, EMBRU-MÉE DE WHISKY !..

?!!?

SOUS AUCUN PRÉTEXTE ! AUCUN... VOUS ENTENDEZ ?.. NE LAISSEZ QUANAH S'ÉCARTER SEUL DE LA COLONNE ! QU'IL SOIT TOUJOURS DISCRÈTEMENT ESCORTÉ PAR QUELQUES UNS DE VOS HOMMES... IL N'EST PAS SÛR !..

HEIN ?!!?

DÉCIDÉMENT, VOTRE MANIE DE VOIR PARTOUT DES ESPIONS VOUS REND COMPLÈTE-MENT CINGLÉ, BLUE-BERRY !.. QUANAH EST...

C'EST UN ORDRE, O'REILLY ! ET IL EST CONFIDENTIEL !..

TANDIS QU'AVEC QUELQUES HOMMES, BLUEBERRY RESTE EN ARRIÈRE POUR ATTENDRE LE SERGENT MATT ET COUVRIR LE CONVOI. LES PESANTS CHARIOTS, GUIDÉS PAR QUANAH, SE LANCENT À L'ASSAUT DES GORGES ABRUPTES ET ENCAISSÉES QUI PERMETTENT DE FRANCHIR LES MONTS SACRAMENTO...

JUSQU'À LA NUIT, LA MONTÉE VERS LA PASSE S'EST POURSUIVIE DE PLUS EN PLUS PÉNIBLE...

HÉ!.. O'REILLY... CE N'EST PLUS POSSIBLE!.. ÇA FAIT LA TROISIÈME ROUE QU'ON BRISE DEPUIS CE MATIN!..

LES BÊTES SONT À BOUT!.. JAMAIS NOUS NE PASSERONS!.. DEPUIS LE TEMPS QU'ELLE EST ABANDONNÉE CETTE PISTE EST DANS UN ÉTAT EFFROYABLE!..

ALLEZ VOUS PLAINDRE AU LIEUTENANT BLUEBERRY!.. SES ORDRES SONT FORMELS!.. INTERDICTION DE PRENDRE UNE AUTRE ROUTE!..

À EAGLE CREEK, L'ATTENTE A DURÉ TOUTE LA JOURNÉE, VAINE ET DE PLUS EN PLUS ANGOISSÉ...

PLUS DE DEUX JOURS DE RETARD!.. DAMNED!.. IL RESTE PEU D'ESPOIR...

SI À L'AUBE NOUS N'AVONS TOUJOURS AUCUNE NOUVELLE, NOUS REVIENDRONS SUR NOS PAS, À LA RECHERCHE DE CETTE DAMNÉE SECTION!..

HÉ!.. ATTENDEZ SIR!.. LÀ-BAS!.. REGARDEZ!..

OUAIS!.. UN NUAGE DE POUSSIÈRE!.. SÛREMENT DES CAVALIERS!.. VITE!.. AU CAMP!..

ALERTE!.. VOILÀ DU MONDE!.. MAIS IMPOSSIBLE DE SAVOIR SI C'EST MATT OU LES APACHES... ABRITEZ-VOUS DERRIÈRE LES ROCHERS ET TENEZ VOUS PRÊTS À TIRER!..

ET, VINGT MINUTES PLUS TARD, ALORS QUE LA NUIT EST TOMBÉE...

HALTE!!! QUI VIVE!?

HEY! NE TIREZ PAS!!!

MATT!.. DIEU SOIT LOUÉ!.. MAIS BON SANG, DANS QUEL ÉTAT ÊTES-VOUS LÀ?.. ET... ET OÙ EST LE RESTE DE VOS HOMMES!?

LE NEZ CONTRE TERRE, ET SÛREMENT SCALPÉ À CETTE HEURE... NOUS SOMMES LES SEULS SURVIVANTS!.. VOUS AVIEZ BIEN DEVINÉ, SIR... LES APACHES ÉTAIENT À NOS TROUSSES, RENSEIGNÉS... LE DIABLE SAIT PAR QUI!..

HEUREUSE-MENT, ILS SONT TOMBÉS DANS VOTRE PIÈGE ET NOUS ONT SUIVIS... MAIS NOUS L'AVONS PAYÉ CHER... ILS NOUS ONT REJOINTS ET ATTAQUÉS ALORS QUE NOUS ALLIONS PASSER LE FLEUVE...

...NOUS AVONS FAIT FRONT POUR LES RETENIR LE PLUS LONGTEMPS POSSIBLE ET GAGNER AINSI LE MAXIMUM DE TEMPS POUR LE CONVOI... NOUS AVONS PROFITÉ DE LA NUIT DERNIÈRE POUR DÉCROCHER À LEUR INSU, EN BROUILLANT NOTRE PISTE !

BIEN JOUÉ, MATT ! VOTRE SACRIFICE A ÉTÉ LOURD MAIS IL EST PROBABLEMENT DÉCISIF ! QUELLE AVANCE AVONS-NOUS SUR LES APACHES !?...

AU MOINS TROIS JOURS, SIR !... ET ENCORE, SI CES COYOTES SAVAIENT OÙ NOUS SOMMES ! MAIS ILS SONT EN TRAIN DE TOURNER EN ROND, EN SE DEMANDANT OÙ LA COLONNE A BIEN PU SE VOLATILISER ! HA! HA! HA!...

BRAVO SERGENT !... C'EST À PEU PRÈS LE TEMPS QU'IL NOUS FAUT POUR FRANCHIR LE SACRAMENTO ET ARRIVER EN VUE DE FORT BAYARD !... LE CONVOI EST SAUVÉ !... ...À MOINS QUE ...

À MOINS QUE ?!..?

À MOINS QU'IL PRENNE DU RETARD ET QUE QUELQU'UN RÉUSSISSE À ALERTER LES APACHES ET À LES REMETTRE SUR LA BONNE PISTE !... MAIS JE FERAI EN SORTE QUE ÇA N'ARRIVE PAS !...

DORMEZ QUELQUES HEURES, MATT... NOUS ALLONS NOUS OCCUPER DES CHEVAUX... NOUS REPARTIRONS DÈS QUE POSSIBLE !... IL FAUT QUE NOUS REJOIGNIONS LE CONVOI AU PLUS VITE !...

OK, SIR !..

MAIS AU MÊME INSTANT, À UNE JOURNÉE DE LÀ...

PAR TOUS LES DIABLES DE L'ENFER !... IMPOSSIBLE DE CONTINUER !... NOUS N'ATTEINDRONS LA PASSE QUE DEMAIN !... NOUS ALLONS CAMPER ICI !... OH !... QUANAH !... QUE SE PASSE-T-IL ? TU AS L'AIR INQUIET !...

QUANAH SÛR NOUS SUIVIS PAR HOMMES ROUGES !... EUX NOUS ATTENDRE LÀ-HAUT... LÀ OÙ PISTE SI MAUVAISE QUE CHARIOTS PAS POUVOIR PASSER !...

SI NOUS CONTINUER PAR LÀ...NOUS TOMBER DANS PIÈGE !...

TU...TU CROIS QUE ?!.. HUM !.. NOM DE NOM !.. IL FAUT EN AVOIR LE CŒUR NET !...

BLUEBERRY VA ÊTRE FURIEUX, MAIS... QUANAH !.. TU VAS PARTIR EN RECONNAISSANCE VERS LA PASSE, AVEC LE CAPORAL PARODY ET UN CAVALIER

CHEF SAGE !.. QUANAH PRÊT !..

PARODY NE LE LÂCHERA PAS !... RIEN À CRAINDRE !... OH !.. ET PUIS LE DIABLE EMPORTE BLUEBERRY !...

DANS LA NUIT, FLANQUÉ DES DEUX CAVALIERS QUI L'ESCORTENT, QUANAH-N'A-QU'UN-OEIL CHEVAUCHE DEPUIS TROIS HEURES VERS LE SOMMET DU MONT SACRAMENTO...

NOUS ALLER JUSQU'À LA PASSE DE GRAND-ARBRE-MORT!..

DAMN!.. SI JE COMPRENDS BIEN, ON REJOINDRA LE CAMP À L'AUBE ET IL NOUS FAUDRA REPARTIR SANS AVOIR FERMÉ L'OEIL

NOUS BIENTÔT ARRIVER MAINTENANT!..

DIS-DONC!.. JUSQU'ICI CETTE PISTE ME PARAÎT DURE MAIS À PEU PRÈS PRATICABLE... TU NOUS A RACONTÉ DES HISTOIRES, QUANAH!..

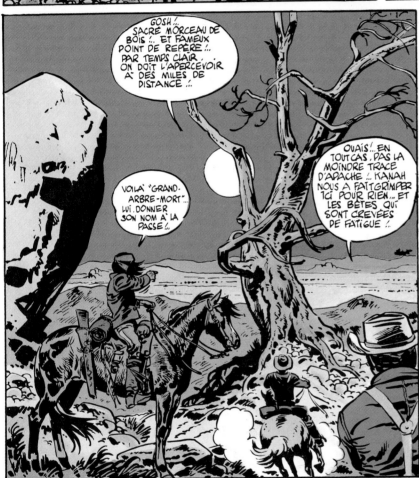

GOSH!.. SACRÉ MORCEAU DE BOIS!.. ET FAMEUX POINT DE REPÈRE!.. PAR TEMPS CLAIR, ON DOIT L'APERCEVOIR À DES MILES DE DISTANCE!..

VOILÀ "GRAND-ARBRE-MORT"!.. LUI DONNER SON NOM À LA PASSE!..

OUAIS!.. EN TOUT CAS, PAS LA MOINDRE TRACE D'APACHE!.. KANAH NOUS A FAIT GRIMPER ICI POUR RIEN!.. ET LES BÊTES QUI SONT CREVÉES DE FATIGUE!..

MIEUX VAUT LES LAISSER REPRENDRE HALEINE AVANT DE REDESCENDRE!.. PIED-À-TERRE, GARÇONS!..

BRRR!.. QUEL VENT GLACIAL!.. ON VA SE GELER ICI!..

AUCUN DANGER, OLD CHAP!.. MOI JE PENSE À TOUT!.. HA HA HA!.. ET C'EST POUR ÇA QUE J'AI DU GALON!.. REGARDE!..

GEEEE!!! DU BOURBON!.. OÙ L'AVEZ-VOUS DÉGOTÉ?..

JE L'AI "EMPRUNTÉ", AVANT DE PARTIR, À LA CAVE PERSONNELLE DE CE SAC À WHISKY D'O'REILLY!.. HEY!.. IL NOUS DEVAIT BIEN ÇA POUR LE DÉPLACEMENT, NON?.. HA! HA! HA!... HO!.. QUANAH!.. J'AI DIT PIED À TERRE!.. TU ES SOURD?..

APRÈS VOUS, CAPORAL!.. ET À LA BONNE VÔTRE!..

MAIS SOUDAIN...

UN GESTE ET VOUS ÊTES MORTS!.. LEVEZ LES MAINS!..

QU...QUOI !? HÉÉ !... QU...QUANAH !...

HEIN !?... DAMNED !...

UN ...UN TRAÎTRE !... CE SATANÉ RAT PUANT N'EST QU'UN TRAÎTRE !... IL NOUS A ATTIRÉS DANS UNE EMBUSCADE !...

C'EST LUI QUI TIENT LE FUSIL, PARKER !... FAISONS CE QU'IL DIT !...

DÉTACHEZ VOS CEINTURES MAINTENANT ... ET SANS TOUCHER VOS ARMES, OÙ JE VOUS DESCENDS TOUS LES DEUX !...

LA PASSE EST PRATICABLE ET IL N'Y A JAMAIS EU LE MOINDRE APACHE ICI !... MAIS CE COYOTE VOULAIT ÊTRE SEUL ET HORS DE VUE DU CONVOI !...

MAIS, POURQUOI ?

POURQUOI ?... SANS DOUTE POUR POUVOIR RAMEUTER ICI LES APACHES QUE NOUS AVIONS RÉUSSI À SEMER !... MAIS ÇA NE VA PAS SE...

...PASSER AINSI !... EN AVANT STEVE !...

FEU !... F...OW !...

PAW! PAW!

TSSS TSS !... CES VISAGES PÂLES SONT BRAVES MAIS FOUS !... ILS N'AVAIENT AUCUNE CHANCE !... ILS NE SAVAIENT PAS QUE QUANAH-N'A-QU'UN-ŒIL N'EST QU'UN NOM POUR LES SOLDATS !... EN VÉRITÉ, JE SUIS CHEF DE GUERRE !... MON NOM EST "AIGLE SOLITAIRE" !...

... ET MAINTENANT, IL FAUT AVERTIR NATCHEZ ET SES GUERRIERS !... VITE !...

PAW PAW PAW

L'EAU DE FEU VA MÉRITER SON NOM !... FLAMBE !... GRAND ARBRE FLAMBE !...

L'ÉCORCE POREUSE, IMBIBÉE D'ALCOOL S'EST SOUDAIN EMBRASÉE... EN QUELQUES INSTANTS, LE GRAND ARBRE MORT N'EST PLUS QU'UNE IMMENSE COLONNE DE FEU...

"LES ÉCLAIREURS DE NATCHEZ VERRONT CE SIGNAL DE LOIN... ILS SAURONT IMMÉDIATEMENT QU'IL EST ENVOYÉ PAR AIGLE SOLITAIRE"

ET MAINTENANT, AIGLE SOLITAIRE VA REDEVENIR QUANAH N'A QU'UN ŒIL. IL FAUT CONTINUER À TROMPER LES TUNIQUES BLEUES POUR DONNER À NATCHEZ LE TEMPS DE RATTRAPER LA COLONNE...

MOI DIRE « PAUVRE QUANAH ÊTRE TOMBÉ DANS EMBUSCADE APACHE !... » HA ! HA ! HA !...

AU MÊME INSTANT...

HEIN ? QU'EST-CE QUE C'EST ? POURQUOI ME RÉVEILLEZ-VOUS ?

SIR !.. SIR !...

DES COUPS DE FEU DANS LA SIERRA !... SIR, ET PUIS LÀ-HAUT !... REGARDEZ !...

UN FEU !... ON ON DIRAIT UN !...

OUI SIR !... IL NE PEUT S'AGIR QUE D'UN SIGNAL !... QUANAH AVAIT RAISON... LES APACHES NOUS ATTENDAIENT LÀ-HAUT... LA PATROUILLE A DÛ TOMBER EN PLEIN DESSUS !...

SERGENT !... FAITES ATTELER ET SELLER IL FAUT QUE LE CONVOI SOIT PRÊT À PARTIR DÈS QUE LA PATROUILLE NOUS REJOINDRA... HUM !... SI TOUTEFOIS ELLE REJOINT !...

YES SIR !...

MAIS, TRÈS LOIN DE LÀ, À PLUS DE SOIXANTE DIX KILOMÈTRES, À VOL D'OISEAU, D'AUTRES YEUX AU REGARD ACÉRÉ ET INFAILLIBLE ONT DÉCELÉ, EUX AUSSI, LE POINT BRILLANT QUI, SUR L'HORIZON, BRILLE DANS L'AIR EXTRAORDINAIREMENT LIMPIDE DE L'ARIZONA...

23

DEUX HEURES PLUS TARD, AU CAMP...

NOUS SOMMES PRÊTS À PARTIR, SIR !.. J'AI FAIT MANGER HOMMES ET BÊTES ET DISTRIBUER DOUBLE RATION DE CARTOUCHES, ET J'AI FAIT POSTER DES ESTAFETTES À CHEVAL, EN AVANT ET SUR LES FLANCS DU CONVOI !..

TRÈS BIEN SERGENT !.. AUCUNE NOUVELLE DE LA PATROUILLE ?

OR, AU MÊME INSTANT...

?.. UN BRUIT DE SABOTS !..

HO !.. HALTE !.. QUI VA LÀ ?

AMI ! PAS TIRER !..

HEY !.. QUANAH ... SEUL !!!.. ET, DAMNATION !.. C'EST LE CORPS DE PARKER !.. TUÉ !..

LA PATROUILLE EST TOMBÉE DANS UNE EMBUSCADE

LES COUPS DE FEU !.. C'ÉTAIT ÇA !

ALORS, QUANAH !.. QU'EST-IL ARRIVÉ ?

BEAUCOUP HOMMES ROUGES CACHÉS LÀ-HAUT... BEAUCOUP FUSILS ... TUER SOLDAT ....TUER CAPORAL !.. PUIS ALLUMER FEU ... QUANAH ÉCHAPPER MAIS SEULEMENT POUVOIR RAMENER CAPORAL !..

MERCI QUANAH !.. TU T'ES COMPORTÉ EN BRAVE ET LOYAL SOLDAT AMÉRICAIN !.. MAIS QU'ALLONS-NOUS FAIRE MAINTENANT ? DIS-MOI !.. AVONS-NOUS UNE CHANCE DE FORCER LE PASSAGE ?

NON ! PISTE TROP MAUVAISE, CHARIOTS PAS PASSER ... ET APACHES DIX FOIS PLUS NOMBREUX QUE TUNIQUES BLEUES... EUX APPELER ENCORE D'AUTRES GUERRIERS AVEC SIGNAL DE FEU..

BLOOD ND GUTS !.. AVEC SES RUSES À LA NOIX, BLUEBERRY NOUS A FOURRÉS DANS UN DAMNÉ PÉTRIN !.. ET CE COL EST UN VRAI PIÈGE À RATS !.. COMMENT ALLONS-NOUS NOUS TIRER D'ICI ?

HMM.. QUANAH CONNAÎTRE AUTRE PASSAGE, PAR LÀ !.. FACILE.. PAS BESOIN DE FRANCHIR SIERRA... NOUS REJOINDRE APRÈS ROUTE DU SUD...

LA PISTE DU SUD !.. CELLE QUE NOUS N'AURIONS JAMAIS DÛ QUITTER, TU AS RAISON GARÇON !.. ET BLUEBERRY N'EST QU'UN CRIMINEL IMBÉCILE !.. NOUS ENTERRERONS PLUS TARD CE PAUVRE PARKER ! EN ROUTE !..

ET, FAISANT RÉSOLUMENT DEMI-TOUR, LE CONVOI COMMENCE À DÉVALER À TOMBEAU OUVERT LES PENTES DE LA SIERRA SACRAMENTO...

AÏE !.. LE CONVOI A UN PEU TROP D'AVANCE SUR MES FRÈRES ROUGES, IL FAUT QUE JE LE RETARDE, SINON, IL RISQUE QUAND MÊME DE LEUR ÉCHAPPER !..

EH ! DOUCEMENT NOM DE NOM !.. JE NE VAIS PLUS RETROUVER ENTIÈRE UNE SEULE DE MES BOUTEILLES !..

SI LES INDIENS SONT VRAIMENT À NOS TROUSSES, IL VAUT MIEUX NE PAS MOISIR ICI, SIR !..

24

GUIDÉE PAR QUANAH, LA COLONNE, DANS L'AUBE NAISSANTE, DESCEND À GRAND TRAIN VERS LA VALLÉE...

PAR TOUS LES DIABLES! EH! QUANAH! TU NOUS AS FOURRÉS DANS UN VRAI CUL-DE-SAC!

NOUS, TROUVER PASSAGE EN BAS!...

HÉ!... COMMENT BLUEBERRY VA-T-IL POUVOIR NOUS REJOINDRE?

MOI REPARTIR À SA RENCONTRE QUAND CONVOI EN SÉCURITÉ...

NOUS PASSER LÀ-BAS, ENSUITE, NOUS REJOINDRE TRÈS VITE PISTE DU SUD!

MA PAROLE!... JE N'AURAIS JAMAIS SOUPÇONNÉ L'EXISTENCE DE CETTE BRÈCHE... MAIS IL VA FALLOIR LA FRANCHIR À' GUÉ...

EAU, PAS PROFONDE, AUCUN DANGER, ET JAMAIS APACHES PENSER QUE NOUS PASSER PAR LÀ...

TU AS RAISON!... NOUS AVONS PEUT-ÊTRE UNE CHANCE DE SEMER CES COYOTES, ET ON APERÇOIT L'AUTRE BOUT DU DÉFILÉ! LA TRAVERSÉE SERA COURTE!...

OUAIS!... EN TOUT CAS, C'EST UN VRAI COUPE-GORGE, ET SI CES DIABLES AVAIENT L'IDÉE DE S'EMBUSQUER LÀ-HAUT, NOUS SERIONS PERDUS!...

TOUT VA BIEN, SIR!... IL N'Y A PAS LE MOINDRE COURANT, NI LE PLUS FAIBLE TOURBILLON... UN VRAI LAC!... ET LE FOND PARAÎT SOLIDE!...

TRÈS BIEN... COLONNE!... EN AVANT!

PARFAIT!... CES IDIOTS N'ONT PAS PENSÉ À SONDER LE DÉFILÉ SUR TOUTE SA LONGUEUR!... ILS AURONT UNE JOLIE SURPRISE AU MILIEU DE LA PASSE!...

LA-BAS !... TRÈS LOIN !... PRESQUE SUR L'HORIZON, UN !... UN NUAGE DE POUSSIÈRE !...

BAH !... PEUT-ÊTRE UN SIMPLE TOURBILLON DE SABLE, SOULEVÉ PAR UNE RAFALE DE VENT !...

EN EFFET, BLUEBERRY NE S'EST PAS TROMPÉ... RAMEUTÉS CETTE NUIT-LÀ PAR LE SIGNAL DE FEU DE QUANAH, ET REMIS PAR LUI SUR LA PISTE DES SOLDATS, PLUSIEURS CENTAINES D'APACHES DE DIFFÉRENTES TRIBUS MAIS COMMANDÉS PAR NATCHEZ, FONCENT MAINTENANT À LA POURSUITE DU CONVOI...

...IMPOSSIBLE... LE NUAGE EST BIEN TROP ÉPAIS... CE SERAIT PLUTÔT UN PARTI DE CAVALIERS... UNE CENTAINE AU MOINS... DAMNATION !... DANS CE COIN-CI, CE NE PEUT-ÊTRE QUE LES APACHES !...

HELL !... JE NE COMPRENDS PAS !... JE VOUS JURE, SIR !... J'AVAIS SEMÉ CES DÉMONS !... COMMENT ONT-ILS PU RETROUVER NOS TRACES ?...

LE FEU !... C'ÉTAIT UN SIGNAL POUR EUX !... VOUS N'Y ÊTES POUR RIEN, MATT !...

JE PARIERAIS MES BOTTES QUE C'EST CE RAT DE QUANAH QUI L'A LANCÉ... J'IGNORE ENCORE COMMENT IL A TROMPÉ LA SURVEILLANCE DE CETTE OUTRE D'O'REILLY, MAIS IL A RÉUSSI !... EN AVANT !

HÉLAS...IGNORANT QUE LE CONVOI A CHANGÉ DE DIRECTION, C'EST VERS LE HAUT DES SIERRAS QUE BLUEBERRY ENTRAÎNE SES HOMMES...

CEPENDANT...

NOTRE SEULE CHANCE D'ARRACHER LES WAGONS DE LÀ, C'EST DE LES DÉCHARGER, PUIS DE LES FAIRE TIRER À VIDE, PAR PLUSIEURS ATTELAGES RÉUNIS !...

LES CHARIOTS NE S'ENFONCENT PLUS, SIR !... MAIS IMPOSSIBLE DE DÉGAGER LES ROUES À LA PELLE... L'EAU FAIT COULER LE SABLE AU FUR ET À MESURE QU'ON CREUSE...

BLOOD'ND GUTS...

QUANAH !... QUANAH !!!! OÙ EST CE DAMNÉ RAT PUANT QUI NOUS A EMBOURBÉS DANS CE RIO DE MALHEUR, JE VAIS LUI FAIRE AVALER SON CALUMET !...

SIR?... JE NE SAIS PAS!... IL S'EST ÉLOIGNÉ IL Y A QUELQUES MINUTES!... IL NE DOIT PAS ÊTRE BIEN LOIN!...

...PAS BIEN LOIN!!! MILLE MILLIARDS!... BLUEBERRY AVAIT RAISON!... CE COYOTE ROUGE NOUS A ROULÉS COMME DES GAMINS...

HUGH!... LES TUNIQUES BLEUES EN ONT AU MOINS JUSQU'À DEMAIN POUR SE TIRER DU PIÈGE OÙ JE LES AI FOURRÉS!... D'ICI LÀ J'AURAI RAMENÉ MES FRÈRES PAR LE RACCOURCI...

CEPENDANT...

J'AI POSTÉ QUELQUES GUETTEURS, SIR!... LES APACHES NE NOUS PRENDRONT PAS PAR SURPRISE!... C'EST TOUJOURS ÇA!...

IL FAUT ENVOYER QUELQUES HOMMES À LA RECHERCHE DE BLUEBERRY, SERGENT!... WI ET SA SECTION NE SERONT PAS DE TROP ICI!...

UNE FOIS LES CHARIOTS VIDÉS ET DÉGAGÉS, NOUS NE POURRONS REGRAVIR LES PENTES DÉVALÉES CE MATIN, SIR!... LA SEULE ISSUE POUR NOUS EST DE FRANCHIR À TOUT PRIX CE DAMNÉ CANYON!...

NOUS VENONS DE SONDER LE LIT DU RIO!... PLUS LOIN LES FONDS SONT ASSEZ SOLIDES POUR SUPPORTER LES WAGONS... POUR ICI IL SUFFIRA DE CONSOLIDER LE SOL MOUVANT AVEC DE GROSSES PIERRES!...

26A

JUSQU'À LA NUIT LES HOMMES DU CONVOI ONT TRAVAILLÉ FIÉVREUSEMENT.

HUE!... HEEYYY!... O.K.!... ÇA MARCHE!...

LA NUIT VA NOUS EMPÊCHER DE CONTINUER!... DE TOUTE FAÇON, IL FAUT LAISSER SOUFFLER LES HOMMES ET LES BÊTES... ILS SONT À BOUT!...

BAH!... SI LES APACHES NE NOUS TOMBENT PAS DESSUS, NOUS EN AURONS TERMINÉ DEMAIN DANS LA MATINÉE!... MAIS JE ME DEMANDE CE QUE PEUT BIEN FABRIQUER BLUEBERRY!...

HELL!... VOICI LE SOMMET DU COL!... OÙ DIABLE SONT DONC PASSÉS O'REILLY ET LE CONVOI!? ILS DEVRAIENT ÊTRE ICI!...

MAIS, AU MÊME MOMENT, DANS LA VALLÉE...

HUGH!... BIEN AVANT QUE LE SOLEIL SE LÈVE, NOUS AURONS ATTEINT LE CANYON DU CHEVAL NOYÉ!... C'EST LÀ QUE LES CHARIOTS DES VISAGES PÂLES SONT EMBOURBÉS!... MAIS LA PLUPART DES TUNIQUES BLEUES QUI LES ESCORTENT SERONT ENCORE EN PLEINE SIERRA!...

26 B

JE SAIS QUE SUR CE SOL ROCHEUX, LE CONVOI N'AURAIT GUÈRE LAISSÉ DE TRACES, SIR... POURTANT, JE PUIS VOUS ASSURER QU'IL N'EST PAS ARRIVÉ JUSQU'ICI !...

OOH !!! LIEUTENANT... LA... VENEZ VOIR !...

C'EST BIEN CE QUE JE CRAIGNAIS !... CET IDIOT D'O'REILLY A MODIFIÉ SA ROUTE... IL A DÛ REDESCENDRE VERS LA PLAINE

C'EST AFFREUX !... IL A ÉTÉ SCALPÉ !...

BON SANG !...

C'EST UN DES CAVALIERS DE LA SECTION DE GARY !... CELLE QUI ÉTAIT RESTÉE DE GARDE POUR LE CONVOI !... IL A ÉTÉ TUÉ D'UNE BALLE AU CŒUR !...

DAMNATION ! CE MALHEUREUX A DÛ ÊTRE ENVOYÉ EN RECONNAISSANCE PAR O'REILLY !...

SIR !... IL Y A LÀ UN GROS ARBRE MORT !... COMPLÈTEMENT CALCINÉ !...

IL EST ENCORE TIÈDE !... IL A DÛ CONTINUER À SE CONSUMER DE L'INTÉRIEUR, PENDANT DES HEURES !...

VOILÀ D'OÙ VENAIT CE FEU QUE NOUS AVONS APERÇU !... C'ÉTAIT BIEN UN SIGNAL, ET... NOM DE NOM !... JE COMPRENDS TOUT MAINTENANT !... IL FAUT QUE NOUS RETROUVIONS AU PLUS TÔT LE CONVOI... IL EST EN GRAND DANGER !...

MATT !... JE SAIS QUE LES HOMMES SONT FATIGUÉS MAIS NOUS NE POUVONS NOUS ATTARDER... DANS UNE HEURE, NOUS FAISONS DEMI-TOUR !...

À VOS ORDRES SIR !...

NOUS DORMONS TOUS SUR NOS SELLES, SIR !... ET... OH !... LÀ !... PLUS BAS, DES CAVALIERS !...

ON DIRAIT DES NÔTRES !... ENFIN... NOUS ALLONS AVOIR DES NOUVELLES DU CONVOI !...

UNE HEURE PLUS TARD, ALORS QUE L'AUBE SE LÈVE À PEINE, LA PETITE COLONNE, MALGRÉ L'EFFROYABLE FATIGUE, ENTAME SA DESCENTE VERS LA PLAINE, QUAND...

BRAVO !... NOUS VOILÀ DANS DE BEAUX DRAPS !...

NOUS VOUS CHERCHONS DEPUIS HIER MIDI... QUANAH NOUS A ATTIRÉS DANS UN PIÈGE... LES CHARIOTS SE SONT ENLISÉS DANS LE CANYON DU CHEVAL NOYÉ, EN CHERCHANT À REJOINDRE LA PISTE DU SUD...

...CE N'EST PAS TOUT, QUANAH A DÉSERTÉ ET N'A PU ÊTRE REJOINT... GRÂCE À LUI, LES APACHES DOIVENT ÊTRE À NOUVEAU SUR NOTRE PISTE... IL N'Y A PLUS UNE SECONDE À PERDRE, SIR !...

HUM... J'ESPÈRE QU'IL N'EST PAS TROP TARD ET QUE... OH... ÉCOUTEZ !... CES CLAQUEMENTS !... TRÈS LOIN !... CE SONT DES COUPS DE FEU !... L'ATTAQUE DU CONVOI EST COMMENCÉE !...

EN EFFET, AU MOMENT MÊME OÙ LES DERNIERS CHA-
RIOTS DE LA COLONNE, COUVERTS PAR LE SERGENT GARY
ET SES HOMMES, ENTREPRENAIENT DE FRANCHIR LE
CANYON, LE TERRIBLE CRI DE GUERRE DES APACHES
A ÉCLATÉ... DÉVALANT DES CRÊTES AU SOMMET DES-
QUELLES ILS S'ÉTAIENT SILENCIEUSEMENT EMBUSQUÉS
DANS LES DERNIÈRES HEURES DE LA NUIT, DES NUÉES
DE CAVALIERS ROUGES HURLANT, TIRANT SE RUENT À LA
CURÉE... À LEUR TÊTE, QUANAH MÈNE LA CHARGE...

HOOKA
HEY !!..

OOKEY!..
HEY!..

HOOHKEY!
HEYYY!!!

PLUS VITE!
LES CHARIOTS!!!
FOUETTEZ VOS BÊTES
NOM DE NOM!.. GARY!
POUR L'AMOUR DU CIEL,
ESSAYEZ DE BARRER
L'ACCÈS DU CANYON
SINON TOUT EST
PERDU !..

ENVOYEZ-
MOI TOUS LES
CONVOYEURS QUE
VOUS POURREZ!!
DAMN!.. APER-
COIS... QUANAH!
CE DÉMON EST
À LEUR TÊTE!

EN ARRIÈRE TOUT LE MONDE!
EN RETRAITE VERS LE CANYON!
PIED À TERRE EN TIRAILLEURS!
ABRITEZ-VOUS DERRIÈRE
VOS CHEVAUX!..

DAMNED!! NOUS SOMMES À
UN CONTRE QUINZE!.. NOUS NE
TIENDRONS JAMAIS!.. CONTRE
CES CHARGES MASSIVES!..

AAAH!

EN EFFET, C'EST UNE TROMBE HURLANTE DE
GUERRIERS APACHES QUI S'ENGOUFFRE À TRA-
VERS LE CANYON ET VIENT SE BRISER AVEC
UNE VIOLENCE TERRIBLE SUR LE FRAGILE BAR-
RAGE TENDU EN TRAVERS DU DÉFILE, PAR
LES TIREURS DE GARY QUI, PEU À PEU, RECULENT...

LES CHARIOTS
SONT PASSÉS!
ESSAYEZ
DE TENIR
JUSQU'À CE
QU'ILS AIENT
PU SE FORMER
EN CERCLE!..

IMPOSSIBLE!..
NOUS ALLONS
ÊTRE
DÉBORDÉS!!!
C'EST
LA FIN!..

PAR MIRACLE, LE FEU NOURRI DES CAVALIERS A CASSÉ L'ÉLAN MEURTRIER DES APACHES, LES FAISANT RECULER, MAIS...

LES TUNIQUES BLEUES RECULENT... ILS S'ENFUIENT! LEURS SCALPS SONT À NOUS!!! EN AVANT!...

EN EFFET... PROFITANT DE CE BREF RÉPIT, QUE LEUR LAISSENT LES PEAUX-ROUGES, EN TRAIN DE SE REFORMER, GARY, ET SA POIGNÉE DE SURVIVANTS ONT DÉCROCHÉ ET BATTENT PRÉCIPITAMMENT EN RETRAITE VERS LA SORTIE DE LA GORGE...

ATTENTION!... ILS... ILS REVIENNENT!... FAITES FRONT!...

OOKAA HEYYY!

AAAï!

MAIS SOUDAIN, UNE PLUIE DE BALLES CRÉPITE... D'ÉNORMES QUARTIERS DE ROC GRÊLENT DU HAUT DES FALAISES SUR LA MASSE RESSERRÉE DES GUERRIERS QUI ROULE ET TOURBILLONNE ENTRE LES PAROIS ÉTROITES DU DÉFILÉ... LA MORT CREUSE DES VIDES TERRIBLES DANS LEURS RANGS PRESSÉS...

????!

FEU À VOLONTÉ, VISEZ LA TÊTE ET LES ARRIÈRES DE LA COLONNE APACHE! IL FAUT LES EMPÊCHER DE SORTIR DE CE PIÈGE À RATS!...

OOOH!... LES TUNIQUES BLEUES!... LE LIEUTENANT BLUEBERRY!...

31

C'EST BLUEBERRY, EN EFFET... CREVANT LEURS CHEVAUX, SES HOMMES ET LUI ONT DÉVALÉ À TOMBEAU OUVERT LES PENTES DE LA SIERRA. MAIS PLUTÔT QUE DE RISQUER UN INÉGAL CORPS-À-CORPS AU FOND DU CANYON, BLUEBERRY A PRÉFÉRÉ OCCUPER LES FALAISES QUI LE SURPLOMBENT...

GALVANISÉS PAR CETTE BRUTALE INTERVENTION QUI LES SAUVE DE JUSTESSE, LES SURVIVANTS DE LA SECTION DE GARY, RENFORCÉS PAR DES CONVOYEURS ACCOURUS, FONT À NOUVEAU FACE AUX APACHES...

TENEZ BON LES GARS !!! CES RASCALS FAIBLISSENT !...

SERGENT MATT !.. À CHEVAL AVEC VOS HOMMES !... FONCEZ VERS LE RIO ET CUEILLEZ-LES À REVERS, AU DÉBOUCHÉ DU CANYON !!!

O.K. SIR !.. ON Y VA !... SECTION DEUX !... EN SELLE !...

ET FAITES DU VACARME COMME SI VOUS ÉTIEZ CENT !... IL FAUT QUE CES COYOTES CROIENT QUE TOUT UN RÉGIMENT LEUR TOMBE SUR LE DOS !!!

COMPRIS, LIEUTENANT !.. EN AVANT !...

CHARGEZ !

GOSH !.. VOILÀ L'OCCASION OU JAMAIS DE RESSORTIR MON BIGNOU ET DE ME PAYER UN PETIT RÉCITAL PERSONNEL !. (1)

(1) VOIR ÉPISODE "FORT-NAVAJO"

?

?!

AU FOND DU CANYON, C'EST LA PANIQUE !... AFFOLÉS PAR CES APPELS DE TROMPETTE QUI SE RÉPONDENT DE PARTOUT, PRIS ENTRE DEUX FEUX, PERSUADÉS DE L'ARRIVÉE D'IMPORTANTS RENFORTS ENNEMIS, LES APACHES FLÉCHISSENT, TOURBILLONNENT...

EN ARRIÈRE !... EN ARRIÈRE !

C'EST LA PANIQUE!... LA DÉBANDADE!... MON COUP DE BLUFF A MARCHÉ... C'EST GAGNÉ!...

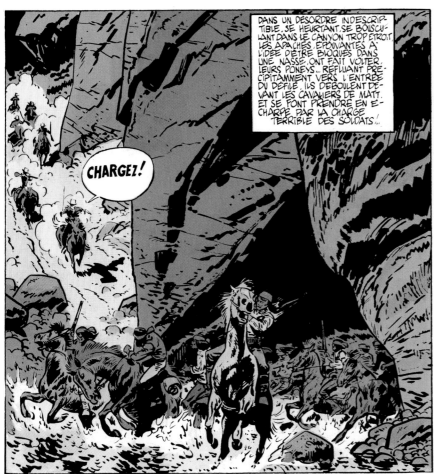

DANS UN DÉSORDRE INDESCRIPTIBLE, SE HEURTANT, SE BOUSCULANT DANS LE CANYON TROP ÉTROIT, LES APACHES, ÉPOUVANTÉS À L'IDÉE D'ÊTRE BLOQUÉS DANS UNE NASSE, ONT FAIT VOLTER LEURS PONEYS... REFLUANT PRÉCIPITAMMENT VERS L'ENTRÉE DU DÉFILÉ, ILS DÉBOULENT DEVANT LES CAVALIERS DE MATT, ET SE FONT PRENDRE EN ÉCHARPE PAR LA CHARGE TERRIBLE DES SOLDATS!...

CHARGEZ!

BON SANG!... IL NE FAUT SURTOUT PAS QUE MATT SE LAISSE ENTRAÎNER À POURSUIVRE LES APACHES!... ILS S'APERCEVRAIENT VITE QU'ILS N'ONT QUE QUELQUES HOMMES À LEURS TROUSSES...

EMBOUCHANT SON BUGLE, BLUEBERRY SONNE LA RETRAITE À PLEINS POUMONS

GOSH!... IL FAUT TOUT FAIRE SOI-MÊME DANS CETTE PAGAILLE...

CESSEZ LE FEU!... TOUT LE MONDE ENSELLE!... IL FAUT QUE NOUS AYONS TOUS PASSÉ LE CANYON ET QUE NOUS SOYONS SOLIDEMENT RETRANCHÉS DE L'AUTRE CÔTÉ AVANT QUE LES APACHES DÉCOUVRENT LA SUPERCHERIE!...

QUELQUES MINUTES PLUS TARD, BLUEBERRY ET SES HOMMES ONT REJOINT MATT QUI A ARRÊTÉ LA POURSUITE ET RALLIÉ AUTOUR DE LUI SES CAVALIERS... REGROUPÉE, LA PETITE TROUPE S'EMPRESSE DE FRANCHIR À SON TOUR, LA PASSE DU CHEVAL NOYÉ...

GIR

OHÉ!... OHÉ!... BLUEBERRY!... SACREMENT BIEN JOUÉ VIEUX FRÈRE!... HAHAHA! QUELLE HÉCATOMBE! AMENEZ-VOUS! ON VA ARROSER ÇA! C'EST MA DERNIÈRE BOUTEILLE!...

CE SERA BIEN LA DERNIÈRE EN EFFET !... ÇA, JE PUIS VOUS LE JURER, ET VOUS NE CROYEZ PAS SI BIEN DIRE !... ESPÈCE D'IVROGNE !...

?!

HEIN !?!... QUE,... QUE,... QU'EST-CE QUI VOUS PREND ? P... POURQUOI SORTEZ-VOUS VOTRE CO,... COLT !...

HEY !!! BLUEBERRY !... VOUS ÊTES FOU !? ÇA PART TOUT SEUL CES... CES ENGINS-LÀ !... CE... CE SERAIT UN MEURTRE !... HEY !... NON... NON !...

PAW

OW!

SCRACH

?!!?

C'EST VOTRE DAMNÉE CABOCHE D'IRLANDAIS, EMBRUMÉE DE WHISKY, QUE J'AURAIS DÛ VISER, O'REILLY... TOUS LES HOMMES QUE NOUS AVONS PERDUS SONT MORTS À CAUSE DE VOTRE STUPIDITÉ !... ET VOUS PASSEREZ EN COUR MARTIALE POUR ÇA !... JE VOUS LE JURE !...

MAIS...

ÇA VA COMME ÇA ! CE N'EST PAS LE MOMENT DE DISCUTER !.. FAITES FORMER LE CONVOI ET EN ROUTE !... À L'HEURE QU'IL EST, LES PEAUX-ROUGES ONT DÛ SE RESSAISIR !...

ENFIN ARRÊTES ET RAMEUTES PAR QUANAH, LES APACHES S'APPRÊTENT EN EFFET À FAIRE DEMI-TOUR...

MES FRÈRES ONT DES CŒURS DE SQUAWS ! LES TUNIQUES BLEUES N'ÉTAIENT QU'UNE POIGNÉE, ET NOUS AVONS FUI COMME DES VIEILLES FEMMES.... IL FAUT EN FINIR !... EN AVANT !...

DE L'AUTRE CÔTÉ DE LA PASSE, MALGRÉ LES BLESSURES, MALGRÉ L'ÉPUISEMENT, LES CONDUCTEURS DE CHARIOT ONT REFORMÉ LEUR FILE, POUSSANT LEURS BÊTES FOURBUES, ...LENTEMENT, LE CONVOI S'EST ÉBRANLÉ...

NOUS N'AVONS AUCUNE CHANCE DE RETENIR LES APACHES, CETTE FOIS, S'ILS REVIENNENT EN FORCE POUR PASSER LE CANYON !...

YUPE !... SANS LES CONVOYEURS, NOUS NE SOMMES PLUS ASSEZ NOMBREUX !...

ET POURTANT, IL FAUT ABSOLUMENT TROUVER UN MOYEN, SINON !... OH !... IL ME VIENT UNE IDÉE !...

SERGENT !.. PRÉLEVEZ QUELQUES CAISSETTES D'EXPLOSIFS SUR LE CHARGEMENT DU CONVOI, ET RAMENEZ-MOI AUSSI UN ROULEAU DE CÂBLE SOLIDE... JE RETOURNE AU CANYON !..

O.K. SIR !.. CE SERA VITE FAIT !..

QUELQUES INSTANTS PLUS TARD

VOILÀ TOUT CE QUE VOUS AVEZ DEMANDÉ SIR !.. IL Y A DE QUOI FAIRE SAUTER UNE MONTAGNE

C'EST JUSTEMENT MON INTENTION, MATT !.. CES ROCHERS SONT POURRIS !.. À LA MOINDRE EXPLOSION, ILS S'EFFONDRERONT DANS LE CANYON !.. AVEC VOS HOMMES, PLACEZ-MOI CES EXPLOSIFS DANS LES INFRACTU-OSITÉS LES PLUS PROPICES, AU PIED DES PAROIS !..

PRÉVOYEZ DES MÈCHES COURTES !.. C'EST VOUS QUI Y METTREZ LE FEU, À MON SIGNAL !..

O.K. !.. SIR !.. MAIS J'AI PEUR QUE LES APACHES SOIENT SUR NOUS AVANT QUE J'AIE EU LE TEMPS DE TERMINER !..

JE ME CHARGE DE VOUS DONNER LE TEMPS SERGENT !.. PASSEZ-MOI LE CÂBLE... PENDANT QUE VOUS POSEZ LES CHARGES, JE VAIS À L'ENTRÉE DU CANYON JOUER UN TOUR À MA FAÇON À CES COYOTES !..

EN QUELQUES SECONDES, BLUE-BERRY ATTEINT L'AUTRE EXTRÉ-MITÉ DU CANYON.

VOICI LES ROCHERS QUE J'AVAIS REPÉRÉS TOUT À L'HEURE !.. C'EST EXACTEMENT CE QU'IL FALLAIT POUR MON PIÈGE-À-RATS !..

ET VOILÀ !.. UN JOLI TRAVAIL !.. MÊME UNE CHARGE DE BISONS NE POURRAIT BRISER CE CÂBLE !.. GOSH !.. IL ÉTAIT TEMPS !.. CES DAMNÉS PEAUX-ROUGES SE SONT REGROUPÉS POUR UNE NOUVELLE CHARGE !..

HUM... QUAND CES DIABLES ARRIVERONT, ILS SERONT TROP OCCUPÉS À ME TIRER DESSUS POUR APERCEVOIR LA CORDE... HAHA !.. QUANAH VA PIQUER UNE BELLE RAGE !..

LES VOILÀ !!! HO !.. MATT !!! DÉPÊCHONS !..

JE FAIS DE MON MIEUX, SIR...

35

ÉVIDEMMENT, SI UN DE CES COYOTES SAIT VISER, JE ME FAIS TROUER LA PEAU, MAIS JE NE FUIRAI QU'AU DERNIER MOMENT. AINSI, ILS PRENDRONT LE GALOP POUR ME RATTRAPER!

OH!... LIEUTENANT!... TOUT EST PARÉ!...

LE CHEF DES TUNIQUES BLEUES NOUS DÉFIE, AIGLE SOLITAIRE ARRACHERA SON SCALP ET SA LANGUE À CET ORGUEILLEUX!... EN AVANT!... AU GALOP!...

AOHH!...

IMMOBILE SUR SON CHEVAL, IL TIRE ET RECHARGE TRANQUILLEMENT... ET SON CALCUL SE RÉVÈLE EXACT...

LA CHARGE FURIEUSE DES INDIENS EST PRESQUE SUR LE LIEUTENANT. ALORS, BLUEBERRY FAIT SOUDAIN VOLTER SON CHEVAL ET S'ENFUIT...

MATT!... C'EST LE MOMENT!...

...DÉCHAÎNÉE, IRRÉSISTIBLE, LA CHARGE DES APACHES DÉFERLE À TRAVERS LE CANYON, SUR LES TALONS DE BLUEBERRY. ET SOUDAIN, AVEC DES HENNISSEMENTS D'ÉPOUVANTE, LES PREMIERS MUSTANGS BUTENT DANS LE CÂBLE TENDU SOUS L'EAU, FAUCHÉS NET, LES PATTES BRISÉES, ILS CULBUTENT VIOLEMMENT TANDIS QUE S'ABATTENT SUR EUX LES CAVALIERS SUIVANTS...

ET, TANDIS QUE, TRÈS EN ARRIÈRE, LE SERGENT, PAISIBLEMENT ET SANS SE HÂTER, ALLUME LES MÈCHES DE SES CHARGES D'EXPLOSIF...

HA, HA, HA!... BIEN JOUÉ, SIR!... SACRÉE PARTIE DE QUILLES!...

VITE, MATT!... FICHONS LE CAMP!!! ILS ARRIVENT!...

VENGEANCE!... VENGEANCE, FRÈRES!... EN AVANT, IL NOUS FAUT CE SERPENT!...

MAIS, AU MÊME INSTANT...

36

SOUS LES EXHOR-
TATIONS DE QUANAH,
OU PLUTÔT D'AIGLE-
SOLITAIRE, LES CAVA-
LIERS APACHES, FOUS
DE RAGE, SE RUENT
À NOUVEAU À TRA-
VERS LE CANYON,
LORSQUE SOUDAIN...

BOUM!

BAOUM!

SAPÉS À LA BASE
PAR LES EXPLOSIONS,
D'ÉNORMES PANS
DE FALAISE, DÉJÀ
MINÉS ET TARAUDÉS
PAR L'EAU ET LE VENT,
GLISSENT ET S'ABAT-
TENT D'UN BLOC
DANS L'ÉTROIT DÉFILÉ
EMPLI DE CLAMEURS
D'ÉPOUVANTE...

HAY! JOLI
TRAVAIL, MATT...
CALCULÉ AU QUART
DE POIL... EN TOUT
CAS, VOILÀ UN BAR-
RAGE QUE LES APA-
CHES NE SONT PAS
PRÈS DE FRANCHIR...
À CHEVAL TOUT
AU MOINS...

S'IL EN RESTE!...
IL DOIT Y AVOIR PAS
MAL DE GUERRIERS EN-
SEVELIS LÀ-DESSOUS...
QUANT AUX AUTRES,
S'ILS VEULENT CONTOURNER
CE MASSIF MONTAGNEUX,
ILS EN AURONT POUR
DES HEURES!...

ET... QUELQUES
INSTANTS
PLUS TARD...

C'EST UNE CHANCE INESPÉRÉE, ÇA NOUS
DONNERA UN PEU D'AVANCE... PEUT-
ÊTRE ASSEZ POUR POUVOIR ESPÉRER
DES RENFORTS DE FORT-BAYARD!...
ALLEZ!... EN SELLE, CHAPS!... NOUS
REJOIGNONS LES CHARIOTS!...

BLUEBERRY ET SES
HOMMES RALLIENT
ENFIN LE CONVOI...

J'AI ENVOYÉ UN
COURRIER EN AVANT,
SIR!... POUR RÉCLA-
MER DU SECOURS
À FORT-BAYARD!...

BIEN JOUÉ, GARY!...
FAITES MALGRÉ TOUT ACCÉ-
LÉRER L'ALLURE!... NOUS
GARDONS UNE CHANCE DE
SAUVER NOS SCALPS!... TOUT
DÉPEND DE CE SATANÉ QUA-
NAH!... JE DONNERAIS MON
BUGGLE POUR QU'IL AIT
ÉTÉ ÉCRASÉ SOUS LES
ROCS DE LA PASSE DU
"CHEVAL NOYÉ"!...

HELAS, LA CHANCE N'A PAS EXAUCE BLUEBERRY... DESARCONNE SUR LE PREMIER OBSTACLE, QUANAH, ALIAS AIGLE SOLITAIRE AECHAPPE À L'EFFROYABLE MASSACRE, ET, CE SOIR-LÀ...

MON FRÈRE NATCHEZ A EU TORT DE REFUSER DE POURSUIVRE LES VISAGES PÂLES... ILS N'ÉTAIENT PLUS QU'UNE MISÉRABLE POIGNÉE... ET AVANT QUE LE SOLEIL SE LÈVE NOUS POUVIONS LES REJOINDRE ET EN FINIR AVEC EUX...

PARIER EST FACILE, MAIS TROP DE GUERRIERS SONT MORTS EN VAIN DEPUIS QUE NOUS SUIVONS LA PISTE DES TUNIQUES BLEUES, BEAUCOUP PLUS DE LA MOITIÉ... ET PAR LA FAUTE D'AIGLE SOLITAIRE...

QU... QUOI?!

LE CHEF DES TUNIQUES BLEUES EST PLUS RUSÉ QUE LE COYOTE, PLUS COURAGEUX QUE LE PUMA... ET AIGLE SOLITAIRE EST COUPABLE DE L'AVOIR MÉPRISÉ...MES BRAVES ONT PAYÉ SON ERREUR DE LEUR VIE... C'EN EST ASSEZ... J'AI DIT !!!

NATCHEZ A BIEN PARLÉ... LES VISAGES PÂLES NOUS DÉCIMERONT TOUS !...

À QUOI BON LEURS CHARIOTS, SI PLUS UN SEUL D'ENTRE NOUS N'EST CAPABLE DE SE SERVIR DES ARMES QU'ILS CONTIENNENT !...

MES FRÈRES ONT DES CŒURS DE SQUAWS!... ILS VEULENT LÂCHER LA POURSUITE ? TRÈS BIEN ! MAIS AIGLE SOLITAIRE, LUI, N'A PAS PEUR DU CHEF DES TUNIQUES BLEUES, ET IL A UN COMPTE TERRIBLE À RÉGLER AVEC LUI !...

PAR L'OISEAU-TONNERRE, AIGLE SOLITAIRE JURE QU'IL NE REPARAÎTRA DEVANT SES FRÈRES QU'AVEC LE SCALP DE L'HOMME BLANC !... IL LE POURSUIVRA, SEUL ET JUSQU'À SON DERNIER SOUFFLE S'IL LE FAUT... NOS FRÈRES SERONT VENGÉS !... J'AI DIT !...

HUGH !... MON FRÈRE A PARLÉ EN VRAI CHEF !... SOUVENT, LE SERPENT TUE PLUS SÛREMENT QUE LA HARDE DE BISONS !...

NOUS AUSSI, NOUS REPRENDRONS LE SENTIER DE LA GUERRE, DÈS QUE NOS FRÈRES "TONTOS" NOUS REJOINDRONT... VA... L'ENFANT DE L'EAU (1) GUIDERA TA CHASSE...

...ET, TANDIS QUE DE L'AUTRE CÔTÉ DU CANYON, LE CONVOI S'ÉLOIGNE À MARCHE FORCÉE...

...QUITTANT SES FRÈRES, AIGLE SOLITAIRE ENTAME SON IMPLACABLE ET LONGUE POURSUITE ...

(1) L'ENFANT DE L'EAU : le plus jeune des dieux jumeaux de la guerre, que révéraient les Navajos. Les guerriers lui dédiaient les scalps, pris à l'ennemi. Ce masque le représente. Il est orné d'une chevelure humaine scalpée.

38

LE CONVOI POUR-SUIT SA ROUTE MALGRE L'EFFROYABLE LAS-SITUDE DES HOMMES ET DES BÊTES...

...NOTRE CHARGEMENT D'ARMES EST INTACT MAIS NOUS LE PAYONS CHER; DEUX TIERS DE NOTRE EFFECTIF BLESSÉS OU TUÉS!

OUAIS!... SI LES APACHES ATTAQUENT ENCORE, NOUS SOMMES FICHUS...

ÇA, MON VIEUX, NON SEULEMENT ILS N'ONT PAS ATTAQUÉ DEPUIS TROIS JOURS, MAIS JE PUIS VOUS ASSURER QU'ILS NE SONT PAS PRÈS DE S'Y FROTTER À NOUVEAU...

POURQUOI?

POURQUOI?!... OUVREZ GRANDS VOS YEUX!... LÀ, DEVANT NOUS!...

YYAAHOOO!!! NOUS SOMMES SAUVÉS!...

LES HOMMES DE FORT-BAYARD!... MON MESSAGER A PU ATTEINDRE LE POSTE!...

PAR TOUS LES DIABLES DE L'ENFER! LE... L'OFFICIER QUI COMMANDE LE DÉTA-CHEMENT... ON... ON DIRAIT!...

37A

GRAIG!...

BLUEBERRY!... ÇA ALORS!...

(*) VOIR ÉPISODES PRÉCÉ-DENTS, NOTAMMENT: "FORT NAVAJO".

SACRÉE VIEILLE NOIX!... TOUJOURS L'AIR DE SORTIR D'UN MAGAZINE DE MODE, HEIN?!...

ET, VOUS D'AVOIR PASSÉ LA NUIT DANS UNE POUBEL-LE, HEIN?!... HA, HA, HA!... FOLLEMENT HEUREUX DE VOUS RETROUVER VIVANT, STEVE!...

ENCADRÉ DE SA NOUVELLE ESCORTE, LE CONVOI A REPRIS LA ROUTE DE FORT-BAYARD.

COMMENT JE SUIS LÀ? TRÈS SIMPLE... APRÈS AVOIR ÉVACUÉ FORT-NAVAJO VERS PHOENIX, J'AI ÉTÉ AFFECTÉ AVEC LES SURVIVANTS À FORT-BAYARD...

HEU... ET... ET LA FILLE DU COLONEL?...

ELLE EST À CAMP-BOWIE!... ON VATTEND VOTRE CHARGEMENT AVEC AN-GOISSE...L'ARMÉE N'A PLUS NI POUDRE, NI MUNITIONS!...

HEY!... MAIS, NOUS NE RENTRONS PAS SUR FORT-BAYARD?...

NON, NOUS FILONS TOUT DROIT À CAMP-BOWIE! ON VATTEND VOTRE CHARGEMENT AVEC ANGOISSE!... L'ARMÉE N'A PLUS NI POUDRE NI MUNITIONS!...

PSSST... BLUEBERRY!...

HEU... JE... T.TENEZ-VOUS SPÉCIALEMENT À... À... HEU... À M'ATTIRER DES ENNUIS... EN... EN PARLANT DE MOI AU GÉNÉRAL, À L'ARRIVÉE, BLUEBERRY?...

SEUL UN SERMENT SOLEN-NEL DE VOTRE PART POURRAIT M'EN EMPÊCHER O'REILLY!...

37B

E-WEB ERRY, JE JURE !.. TOUT DE SUITE !.. ET SOLENNELLEMENT. JE... JE JURE DEVANT TOUS LES SAINTS D'IRLANDE !.. TOUT CE QUE VOUS VOUDREZ !.. J'ACCEPTE !.. D'AVANCE !..

O.K. !.. O'REILLY, C'EST DIT !

J'ENREGISTRE VOTRE SERMENT SOLENNEL DE NE PLUS BOIRE QUE DE L'EAU, A DATER D'AUJOURD'HUI !..

OOOH !.. JE SUIS TOMBE DANS UN PIÈGE IGNOBLE !..

LE CONVOI A FRANCHI LE GUÉ DU RIO GRANDE, ET, QUELQUES JOURS DURANT POURSUIT SA ROUTE !..

NOUS SOMMES A TROIS JOURS DE CAMP-BOWIE !.

GOSH !.. VOULEZ-VOUS VRAIMENT AVENTURER LES CHARIOTS DANS CET OCÉAN DE BROUSSAILLES ET D'HERBES SÈCHES, GRAIG !.. LE VENT SE LÈVE... L'ORAGE MENACE... SI LA FOUDRE TOMBE SUR CETTE PAILLE ET Y MET LE FEU, NOUS SOMMES FICHUS !..

BAH !.. IL Y A PEU DE CHANCES ET NOUS N'AVONS PAS LE CHOIX... IL FAUDRAIT UNE BONNE SEMAINE POUR CONTOURNER CETTE RÉGION... ET CAMP-BOWIE MANQUE A CE POINT DE MUNITIONS, QUE L'ARMÉE TOUTE ENTIÈRE EST A LA MERCI D'UN COUP DE MAIN DES APACHES...

O.K. !.. J'ESPÈRE QUE NOUS N'AU-RONS PAS A NOUS EN REPENTIR !..

ENFIN !.. DEPUIS DES JOURS QU'AIGLE SOLI-TAIRE PISTE LES VISAGES PÂLES, IL LES VOIT ENFIN COMMETTRE UNE TER-RIBLE ERREUR !..

MAIS, SUR LES DER-NIERS CONTREFORTS DE LA SIERRA MOGOLLON...

HEU !.. GRAIG !.. LE VENT SOUFFLE EN TEMPÊTE MAINTE-NANT !.. ET LES ÉCLAIRS SE METTENT DE LA PARTIE... IL FAUT FAIRE DEMI-TOUR ...CHAP !.. JE SUIS TERRIBLEMENT INQUIET !..

HEU... VOUS AVEZ PEUT-ÊTRE RAISON, BLUEBERRY, MAIS ÇA NE VA PAS ÊTRE FACILE !.. NOUS AVIONS LE VENT DANS LE DOS, NOUS ALLONS L'AVOIR DE FACE !..

MAIS AU MÊME INSTANT, A L'ORÉE DE LA VASTE PLAINE BROUSSAILLEUSE

HOOKAA HEYYII !..

LE FEU !

GRAIG ! DERRIÈRE NOUS ! LE FEU !!! LA PRAIRIE BRÛLE ! ET L'INCENDIE AVANCE VERS NOUS, A LA VITESSE D'UN CHEVAL VENTRE A TERRE !..

BON SANG !.. VOUS AVIEZ RAI-SON BLUEBERRY !.. LES RAFALES ACTIVENT LE FEU ET LE RABAT-TENT PAR ICI !.. NOUS SERONS REJOINTS AVANT UN QUART-D'HEURE !.. NOUS SOMMES PERDUS !.. LES MUNITIONS VONT EXPLOSER !!!

O'REILLY!.. METTEZ VOS CHEVAUX AU GALOP!.. QU'ILS FONCENT DROIT DEVANT!..

BON SANG!.. LES BROUSSAILLES FREINENT LES ROUES ET GÊNENT LE GALOP DES BÊTES!.. NOUS PERDONS DU TERRAIN!..

OUAIS!.. NOUS N'ALLONS PAS ASSEZ VITE... ET... ET LE FEU NOUS DOUBLE SUR LA GAUCHE!!!.. C'EST À CROIRE QUE LE DIABLE S'EN MÊLE!..

EN EFFET, VENTRE À TERRE, QUANAH DÉCRIT UNE LARGE COURBE AUTOUR DE LA COLONNE EN FUITE, S'EFFORCE DE LA DÉPASSER POUR POUVOIR SE RABATTRE ET L'ENFERMER DANS UN IMMENSE CERCLE DE FLAMMES...

CEPENDANT, EN TÊTE DE CONVOI...

??!!?

UNE CREVASSE!.. DAMNATION!..

PAW! PAW!

LE... LE CHARIOT!.. S...S'IL BASCULE, TOUT VA SAUTER ET MOI AVEC!..

PHUUUU!!! UNE CHANCE QUE VOUS TIRIEZ VITE ET JUSTE, SIR!.. SANS VOUS, CES DAMNÉES MULES ENTRAÎNAIENT LE CHARIOT ET... C'ÉTAIT LA CULBUTE!!! VOUS... VOUS M'AVEZ SAUVÉ LA VIE, LIEUTENANT!..

ÇA VA COMME ÇA, JEEVES!.. ON S'ATTENDRIRA PLUS TARD!.. COUPEZ LES TRAITS DES BÊTES DE TÊTE ET EN ROUTE!..

IMPOSSIBLE DE FRANCHIR CE MAUDIT EFFONDREMENT DE TERRAIN!.. ET PAS LE TEMPS DE CONSTRUIRE UN PONT!..

NOUS N'AVONS PAS LE CHOIX!.. LONGEONS LA FAILLE JUSQU'À CE QUE NOUS TROUVIONS UN PASSAGE!.. S'IL N'Y EN A PAS... EH BIEN, NOUS RÔTIRONS!..

QUE FAITES-VOUS?...
MA PAROLE... MAIS...
VOUS JOUEZ A
PILE OU
FACE!?!!

JUSTE POUR SAVOIR DE
QUEL CÔTÉ NOUS ALLONS
NOUS GRILLER LE POIL!!!
PILE!!! ON ESSAIE
À GAUCHE!...

LE CONVOI S'EST REMIS
AU GALOP LONGEANT
L'ÉTROITE ET PROFONDE
CREVASSE QUI SERPEN-
TE À TRAVERS LE
PLATEAU...

LE FEU!... IL ARRIVE SUR NOUS!
SI NOUS NE TROUVONS PAS RAPIDE-
MENT UN PASSAGE, NOUS ALLONS
ÊTRE ACCULÉS À CE SA-
TANÉ TROU!...

NOUS... NOUS
SOMMES PERDUS!...
BLUEBERRY!...
NOUS AURIONS DÛ
PRENDRE
À DROITE!!!

N'AYEZ AUCUN REGRET,
GRAIG!... JE VIENS DE M'APER-
CEVOIR QUE J'AI JOUÉ AVEC
MA PIÈCE TRUQUÉE! CELLE
QUI A DEUX CÔTÉS PILE!!!
MÊME SI ELLE ÉTAIT RE-
TOMBÉE SUR L'AUTRE FACE,
ÇA N'AURAIT RIEN
CHANGÉ!...

PENDANT DE MORTELLES
MINUTES, LES ATTELAGES, À
BOUT DE SOUFFLE, HALETANT
DANS L'AIR DE PLUS EN PLUS
BRÛLANT, EMPORTENT LES
CHARIOTS À UN TRAIN D'
ENFER... MAIS L'ESPACE
SE FAIT DE PLUS EN PLUS
ÉTROIT ENTRE LA MURAIL-
LE DE FLAMMES ET
LA RAVINE...

L'AIR DEVIENT IRRESPIRABLE!...
LES BÊTES SONT À BOUT DE
SOUFFLE!... IL FAUT ABANDON-
NER LES CHARIOTS ET PASSER
DE L'AUTRE CÔTÉ AVEC
LES CHEVAUX!...

NON!...
LA!...
REGARDEZ!...

UN ÉBOULEMENT!...
C'EST CE QU'IL NOUS
FALLAIT...
EN AVANT!!!

PLUS VITE!...
LE VENT
REDOUBLE!...

LES CHARIOTS
NE POURRONT
JAMAIS TOUS
PASSER...
NOUS AVONS
DÉCOUVERT
LE PASSA-
GE TROP
TARD!!!

MAIS
SOUDAIN!...

HEY!!!
MON
CHARIOT A
PRIS FEU!...
TOUT VA
SAUTER!!!
À MOI!...

FEU À VOLONTÉ !... TIREZ EN L'AIR !... TOUS !... C'EST NOTRE DERNIÈRE CHANCE !...

PAR RAFALES, UN FEU NOURRI, CRÉPITE VERS LE CIEL, ÉBRANLANT LES NUAGES ET PROVOQUANT LA CHUTE DE PLUS EN PLUS VIOLENTE DE LA PLUIE... BIENTÔT CE SONT DES TROMBES D'EAU DILUVIENNES QUI S'ABATTENT SUR LE CONVOI EN FUITE DEVANT L'INCENDIE...

ET ENFIN...

LE FEU S'EST ÉTEINT !!!

SAUVÉS !... NOUS SOMMES SAUVÉS !... L'EXPLOSION DE CE CHARIOT A ÉTÉ PROVIDENTIELLE ! UN PEU PLUS ET LES BÊTES S'ÉCROULAIENT D'ÉPUISEMENT !..

WELL !... SI ÇA CONTINUE NOUS ALLONS FINIR NOYÉS APRÈS AVOIR FAILLI RÔTIR !... N'EMPÊCHE !... LA RAPIDITÉ AVEC LAQUELLE LES FLAMMES SE SONT PROPAGÉES ME SEMBLE LOUCHE !... JE JURERAIS QU'IL Y A DU QUANAH LÀ-DESSOUS

QUELQUES JOURS PLUS TARD, LE CONVOI ATTEINT SANS ENCOMBRE, CAMP BOWIE, AUX PORTES DE L'ARIZONA... AUTOUR DU FORT CAMPENT LES TROUPES DU GÉNÉRAL CROOK, CHARGÉ DE MENER LA GUERRE CONTRE COCHISE ET SES APACHES... MAIS AUSSI TOUS LES COLONS DE LA FRONTIÈRE QUI ONT PU ÉCHAPPER AUX INDIENS ET QUI SE SONT MIS SOUS LA PROTECTION DE L'ARMÉE AVEC LE PEU QU'ILS ONT PU SAUVER...

..MAIS, DANS L'OMBRE D'UN CHARIOT...

LA NUIT TOMBE LORSQUE LE DERNIER CHARIOT PÉNÈTRE ENFIN DANS CAMP-BOWIE.

PIED À TERRE !...

LE CONVOI DE MUNITIONS MON GÉNÉRAL !...

DIEU SOIT LOUÉ !... JE COMMENÇAIS À DÉSESPÉRER.

MAIS. À LA FAVEUR DE L'OBSCURITÉ ET DE LA CONFUSION QUI RÉGNENT, UNE OMBRE FURTIVE, TROMPANT LES SENTINELLES, S'EST GLISSÉE À L'INTÉRIEUR DU FORT AVEC LES DERNIERS CHARIOTS.

CEPENDANT...

TRAVIS !... VOUS FAITES IMMÉDIATEMENT DÉCHARGER ET DÉTELER LES CHARIOTS... QUE LA POUDRE ET LES ARMES SOIENT AUSSITÔT SOUS CLÉS À L'ARMURERIE AVEC GARDE DOUBLÉE. VOUS VOUS CHARGEZ DE L'INTENDANCE... AH ! ET QUE LES OFFICIERS D'ESCORTE VIENNENT ME FAIRE LEUR RAPPORT DÈS QUE POSSIBLE...

YES SIR !...

ET... UN QUART D'HEURE PLUS TARD...

LIEUTENANT GRAÏG, COMMANDANT LA COLONNE DE RENFORT... À VOS ORDRES MON GÉNÉRAL !...

LIEUTENANT BLUEBERRY, COMMANDANT L'ESCORTE DU CONVOI... OU DU MOINS LE PEU QU'IL EN RESTE !...

BIENVENUE ICI GENTLEMEN... HMM !... BLUEBERRY !... SI J'EN JUGE PAR L'ÉTAT DE VOTRE TENUE, VOTRE MISSION A ÉTÉ SACRÉMENT DURE !... DE LA CASSE !...

DISONS LES DEUX TIERS DE MES HOMMES TUÉS OU BLESSÉS !... JE DÉPLORE AUSSI LA PERTE D'UN CHARIOT !...

BLUEBERRY A ÉTÉ FORMIDABLE, SIR !...

PERMETTEZ-MOI DE VOUS DIRE, MON GÉNÉRAL... WOUAAAH !...

OH !.. MON SABRE ! NAVRÉ GRAÏG !..

MMH... JE VOIS... VOUS ÊTES UN MODESTE, HEIN, BLUEBERRY !... SALE, MAIS MODESTE...

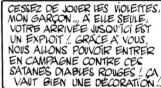

CESSEZ DE JOUER LES VIOLETTES, MON GARÇON... À ELLE SEULE, VOTRE ARRIVÉE JUSQU'ICI EST UN EXPLOIT !... GRÂCE À VOUS, NOUS ALLONS POUVOIR ENTRER EN CAMPAGNE CONTRE CES SATANÉS DIABLES ROUGES !... ÇA VAUT BIEN UNE DÉCORATION...

HEU... PARDONNEZ-MOI, SIR, MAIS LES SEULES MÉDAILLES AUXQUELLES J'ATTACHE DU PRIX SONT LES DOLLARS D'OR OU D'ARGENT !... PLUTÔT QU'UNE DÉCORATION, ACCORDEZ-MOI LA FAVEUR DE M'ÉCOUTER QUELQUES INSTANTS

OR, AU MÊME MOMENT...

HÉ !... L'INDIEN !... HALTE-LÀ !... QUI T'A PERMIS D'ENTRER DANS LE FORT ?..

MOI SCOUT ! (*) MOI GUIDE DU LIEUTENANT BLUEBERRY, MOI ÊTRE ARRIVÉ AVEC LE CONVOI DE MUNITIONS !... ET MAINTENANT, ALLER PORTER PLI CHEZ GÉNÉRAL...

(*) SCOUT : GUIDE DE LA CAVALERIE U.S.

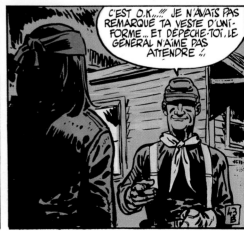

C'EST O.K. !!!... JE N'AVAIS PAS REMARQUÉ TA VESTE D'UNIFORME... ET DÉPÊCHE-TOI, LE GÉNÉRAL N'AIME PAS ATTENDRE...

CEPENDANT...

ALLONS-Y, BLUE-BERRY !.. QU'AVEZ-VOUS DE SI IMPORTANT À ME DIRE ?

CECI, SIR !.. L'ARIZONA ET LE NOUVEAU-MEXIQUE SONT À FEU ET À SANG, ET CE N'EST RIEN À CÔTÉ DE CE QUI VA SE PASSER QUAND VOUS ENTREREZ EN CAMPAGNE...

DES CENTAINES DE MORTS, PARMI LES NÔTRES ET PARMI LES APACHES, SERONT À DÉPLORER !.. Y COMPRIS DES SQUAWS ET DES ENFANTS. JE PENSE QUE PERSONNE NE PEUT SOUHAITER UNE TELLE CHOSE...

AU DIABLE LES APACHES, CE SONT EUX QUI ONT COMMENCÉ !..

FAUX !.. MON GÉNÉRAL !!! C'EST NOUS ! LE LIEUTENANT GRAIG POURRA VOUS LE CONFIRMER... NOUS AVONS CRU LES APACHES COUPABLES DU MEURTRE DES STANTON ET DE L'ENLÈVEMENT DE LEUR FILS !.. ET SANS CHERCHER PLUS LOIN, NOUS AVONS COMMENCÉ À LES MASSACRER, SANS AVERTISSEMENT (1)

(1) VOIR FORT-NAVAJO.

PIRE !.. AU MÉPRIS DE LA PAROLE DONNÉE, NOUS AVONS TENTÉ DE CAPTURER COCHISE ALORS QU'IL VENAIT NÉGOCIER UNE TRÊVE...

HUM !..

OUAIS !!! J'AI SU CELA !.. MAIS VIS-À-VIS D'ASSASSINS, ON A PAS À PRENDRE DE GANTS !.. ET LES APACHES ÉTAIENT COUPABLES !..

JUSTEMENT, NON, SIR !.. ET J'EN AI LA PREUVE FORMELLE ; LE JEUNE STANTON LUI-MÊME, QUE J'AI ARRACHÉ AUX VRAIS COUPABLES ; LES MESCALEROS !!! LE GOSSE EST EN CE MOMENT MÊME À FORT-WITMANN !.. (1)

HEIN ?!..

HUM ! HUM !!

(1) VOIR "TONNERRE À L'OUEST".

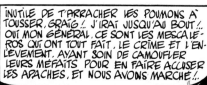

INUTILE DE T'ARRACHER LES POUMONS À TOUSSER, GRAIG !.. J'IRAI JUSQU'AU BOUT !.. OUI MON GÉNÉRAL, CE SONT LES MESCALEROS QUI ONT TOUT FAIT, LE CRIME ET L'ENLÈVEMENT, AYANT SOIN DE CAMOUFLER LEURS MÉFAITS POUR EN FAIRE ACCUSER LES APACHES, ET NOUS AVONS MARCHÉ !..

44A

JE VEUX BIEN VOUS CROIRE, BLUEBERRY. MAIS QU'Y PUIS-JE ?.. IL EST TROP TARD !..

JE NE CROIS PAS, SIR !.. MALGRÉ LE SANG VERSÉ, IL RESTE UN ESPOIR DE NÉGOCIER ET DE RAMENER LA PAIX...

COCHISE EST UN CHEF VIEUX ET SAGE, QUI AIME SON PEUPLE, ET PLEURE CHACUN DE SES GUERRIERS TUÉS, COMME S'IL ÉTAIT SON PROPRE FILS !.. LA GUERRE EST SANS ISSUE POUR LUI... RENDONS-LUI CONFIANCE ET IL ACCEPTERA DE TRAITER...

ET MÊME SI VOUS VOUS FICHEZ DES INDIENS, VOUS POUVEZ AU MOINS ÉPARGNER LA VIE DE NOMBREUX SOLDATS !..

MAIS NON !.. JE NE ME FICHE PAS DES INDIENS !.. SURTOUT S'ILS SONT INNOCENTS. MAIS JAMAIS AUCUN ÊTRE SENSÉ N'ACCEPTERA D'ALLER PARLEMENTER AVEC EUX... CE SERAIT LA MORT CERTAINE !..

ET JE VOUS PARIE MÊME, VINGT DOLLARS QUE VOUS NE TROUVEREZ PERSONNE... PAS UN SEUL VOLONTAIRE POUR CETTE MISSION SUICIDE.

PARI TENU, SIR !.. VOUS ME DEVEZ VINGT DOLLARS ! ... JE SUIS VOLONTAIRE !..

HEIN !? TU ES FOU !..

GRAIG, À RAISON... JE NE PUIS ACCEPTER UNE PROPOSITION AUSSI INSENSÉE !.. D'AILLEURS, POUR UNE AFFAIRE AUSSI GRAVE, IL ME FAUDRAIT L'ACCORD DU PRÉSIDENT LUI-MÊME !..

ALORS, JE VOUS EN SUPPLIE, SIR... DEMANDEZ-LE ! JE SUIS SÛR DE RÉUSSIR !!!

EN DIX JOURS, UN BON CAVALIER PEUT ATTEINDRE LA STATION DE TÉLÉGRAPHE LA PLUS PROCHE, ENVOYER VOTRE MESSAGE À WASHINGTON ET REVENIR AVEC LA RÉPONSE.

HMMM !.. HEU...

JE SUIS VOLONTAIRE, SIR !..

HMMM !.. DIX JOURS ?.. C'EST LE TEMPS QU'IL ME FAUT POUR ACHEVER MES PRÉPARATIFS DE CAMPAGNE... EH BIEN, SOIT... JE VAIS RÉDIGER LE TEXTE D'UN MESSAGE CONFIDENTIEL POUR LE PRÉSIDENT ET VOUS L'EMPORTEREZ, GRAIG !..

MERCI SIR !..

A' L'ALLER COMME AU RETOUR, GRAIG, VOUS ALLEZ DEVOIR TRAVERSER LE TERRITOIRE TENU PAR LES APACHES... LES RISQUES SONT ÉNORMES !..

MERCI DE TENTER ÇA, VIEUX FRÈRE !..

LÀ OÙ UNE COLONNE NE PEUT PASSER, UN HOMME SEUL A DES CHANCES DE RÉUSSIR !..

OUAIS !!! J'AI BIEN PEUR DE COMMETTRE UNE ÉNORME IDIOTIE, EN VOUS ÉCOUTANT, MAIS JE VOUS PRÉVIENS !.. SI DANS DIX JOURS, A MINUIT, JE N'AI TOUJOURS AUCUNE RÉPONSE, JE N'ATTENDS PAS UNE SECONDE DE PLUS ET JE DÉCLENCHE LES OP.....

PAW PAW!

HEU !.. ON A TIRÉ !.. JUSTE A' CÔTÉ !!!

DES COUPS DE FEU ?!?

AUX ARMES OW!!

BON SANG, SOLDAT !.. QUE SE PASSE-T-IL ?..

OOOOHH !.. MA TÊTE !.. UN... UN INDIEN, SIR... IL.. IL ÉTAIT TAPI SOUS VOTRE FENÊTRE, A' ÉCOUTER... JE.. JE L'AI SURPRIS, MAIS IL A BONDI SUR MOI, M'A ASSOMMÉ.. J'AI TIRÉ MAIS DÉJÀ IL FUYAIT...

GRAIG !.. VITE !.. FAITES BLOQUER LES ISSUES ET FOUILLER LE CAMP !! HO !.. GARÇON !... COMMENT ÉTAIT CET INDIEN ?..

TOUT CE QUE J'AI VU, SIR, C'EST QU'IL ÉTAIT BORGNE !..

DAMN !.. QUANAH !.. CE COYOTE EST DONC TOUJOURS VIVANT !.. JE M'EN DOUTAIS APRÈS L'INCENDIE !.. ET IL A DÛ ENTENDRE TOUTE NOTRE CONVERSATION !..

PLUS TARD...

ON A VAINEMENT FOUILLÉ TOUT LE CAMP, SIR... L'INDIEN A EU LE TEMPS DE S'ENFUIR, ET SON CHEVAL DEVAIT L'ATTENDRE AU DEHORS...

IL FAUT GAGNER CE COYOTE DE VITESSE.. VOUS PARTIREZ A' L'AUBE AVEC MON TÉLÉGRAMME...

BONNE NUIT JEUNES GENS !.? EH BIEN "BLUEBERRY, QUE FAITES-VOUS PLANTÉ LA' ?.. QU'ATTENDEZ-VOUS POUR ROMPRE ?..

MES VINGT DOLLARS, SIR !.. CEUX QUE JE VOUS AI GAGNÉS, EN PARIANT AU SUJET DES VOLONTAIRES !..

LES VOILA' VOS SATANÉS DOLLARS... PAYEZ-VOUS UN BAIN AVEC... ET PUISSIEZ-VOUS, VOUS NOYER DEDANS !!!

MERCI SIR !.. HEU.. JE NE LES COMPTE PAS, JE VOUS FAIS CONFIANCE !..

AAAH !.. TOUS CES GÉNÉRAUX SONT BIEN LES MÊMES !.. ALLEZ CRAIG ! NE FAITES PAS CETTE TÊTE-LA', ET VENEZ PLUTÔT ARROSER NOTRE VICTOIRE !.. LE "VIEUX" A BIEN MÉRITÉ QU'ON BOIVE A' SA SANTÉ !..

VLAM

BALAYÉE PAR LE VENT BRÛLANT DU DÉSERT, UNE PETITE VILLE-FRONTIÈRE COMME IL EN EXISTAIT TANT DANS CES ANNÉES-LÀ...